D1484732

THÉORIE ET VIOLENCE

LEO BERSANI

THÉORIE ET VIOLENCE

FREUD ET L'ART

TRADUIT DE L'ANGLAIS PAR
CHRISTIAN MAROUBY

ÉDITIONS DU SEUIL
27, rue Jacob, Paris VIᵉ

ISBN 2-02-006930-X

à Michel Foucault

Voir *Présence* chez les *psychoaques* (le *sado-masochiste*)

Remarques préliminaires

Les chapitres 1 à 4 ont originellement été présentés sous forme de cours au Collège de France en automne 1982.

Les citations de Freud sont tirées des éditions suivantes :
Malaise dans la civilisation, Paris, Presses Universitaires de France, 1971 (trad. Ch. et J. Odier).
Trois Essais sur la théorie de la sexualité, Paris, Gallimard, 1962 (trad. B. Reverchon-Jouve).
Un souvenir d'enfance de Léonard de Vinci, Paris, Gallimard, 1927 (trad. Marie Bonaparte).
Au-delà du principe de plaisir (trad. Jean Laplanche et J.-B. Pontalis), in *Essais de psychanalyse,* Paris, Petite Bibliothèque Payot, 1981.
« Pulsions et destins des pulsions », in *Métapsychologie,* Paris, Gallimard, 1940 (trad. dirigée par Jean Laplanche et J.-B. Pontalis).
Le Moi et le Ça, in *Essais de psychanalyse,* Paris, Petite Bibliothèque Payot, 1981 (trad. Jean Laplanche).

La citation de *Portrait d'une dame* de Henry James est extraite de la traduction de Philippe Neel, Paris, Stock, 1969.

Les illustrations de bas-reliefs assyriens sont reproduites ici avec l'autorisation du British Museum, que l'auteur remercie.

Introduction

En quoi Freud a-t-il profité – ou souffert – de l'attention qu'on lui a si profusément accordée depuis quinze ou vingt ans ? Le texte freudien est devenu, à la fois l'objet de prédilection de ce que l'on désigne assez vaguement aux États-Unis comme la critique déconstructive et, au moins en France, la source d'inspiration d'un véritable renouveau conceptuel dans la communauté psychanalytique. En un sens, il est évidemment à l'avantage de Freud que tous ces détectives textuels se concentrent sur son œuvre, même quand c'est pour mettre inexorablement en pièces ses intentions et ses arguments les plus explicites. Envers et contre la tendance – inspirée par la contre-culture des années soixante – à enterrer le freudisme comme une idéologie réactionnaire, hostile à toute forme de plaisir qui ne serait pas parfaitement respectable et à toute espèce de communauté humaine qui ne serait pas efficacement disciplinée, le prestige de la psychanalyse s'est trouvé rehaussé par la découverte chez son fondateur d'une textualité remarquablement dense – et même remarquablement « troublée ». Comme pour réfuter ceux qui dénonçaient dans la psychanalyse la plus avancée des techniques de définition et de contrôle du désir, une horde de philosophes, de psychanalystes et de critiques littéraires s'est attachée à montrer la naïveté qu'il y aurait à prendre à la lettre ce que l'on pourrait appeler le Freud officiel, et à croire que ce qu'il dit est identique, dans la plupart des cas, à ce qu'il pensait manifestement être en train de dire...

Mes propres préventions en faveur d'une conception problématique de la nature et de la « place » du sens dans le discours humain apparaîtront bien assez tôt. Mais, ce qu'il y a peut-être de plus intéressant dans la chirurgie analytique, souvent brillante, à laquelle a récemment été soumis le texte freudien,

11

c'est l'ambiguïté de son statut en tant que stratégie culturelle. Quel est l'effet de culture de la conception de la textualité à laquelle je viens de faire allusion? L'autorité de Freud se trouve-t-elle renforcée par sa densité textuelle? Nous pourrions nous demander, par exemple, si notre extrême sensibilité à l'égard de ce qu'on a décrit comme des moments de trouble textuel chez Freud (moments où il semble se tendre contre la pression d'un argument qu'il *ne va pas,* qu'il *ne veut pas* formuler...) ne nous a pas rendus davantage conscients des courants politiquement radicaux de sa pensée. La révélation des perturbations de sa textualité nous a-t-elle aidés à voir en lui un penseur plus « libérateur » que nous ne l'aurions soupçonné d'après une lecture plus littérale de ses positions sur le développement normatif du désir? Ou, au contraire, la complexité, voire l'obscurité de certains « retours à Freud » n'a-t-elle pas servi à rendre ces positions intellectuellement plus respectables, tout en laissant ainsi intacts, entre autres, le phallo-centrisme de la norme sexuelle chez Freud, la catégorie même de « névrose », et, par conséquent, l'exercice d'une psychothérapie confortablement installée au service d'une norme de développement psycho-sexuel présumée non-névrosée? Comment toutes ces re-lectures de Freud ont-elles affecté la manière dont nous concevons la psychanalyse comme pratique, comme institution *au-delà du texte*?

Je ne répondrai pas à ces questions, et, en un sens, elles appartiennent à l'introduction d'un autre livre. Si je les pose pourtant ici, c'est en anticipation de questions et d'objections qui peuvent légitimement être soulevées à propos de mes propres opérations sur le texte freudien. Car je me propose, en effet, de célébrer un certain type de faillite dans la pensée de Freud. Et le mot « célébrer » est ici crucial; je vais chercher à montrer que l'authenticité psychanalytique de l'œuvre de Freud dépend d'un processus d'effondrement théorique. Pour l'essentiel, je m'attacherai à documenter dans plusieurs textes la subversion de ce que Freud présente explicitement comme son argument principal : l'opposition entre l'individu et la civilisation dans *Malaise dans la civilisation,* la perspective téléologique sur les phases de la sexualité infantile dans les *Trois Essais sur la théorie de la sexualité,* la défense d'un dualisme à fondement biologique (celui des pulsions de vie et de mort) dans *Au-delà du principe de plaisir,* et la présentation topologique de l'appareil psychique dans *le Moi et le Ça*. Chacun de ces arguments a pour effet une certaine normalisation de la pensée psychanalytique elle-même, et cette normalisation passe toujours par l'effacement ou, du moins, par la domestication de la perspective psychanalytique sur la sexualité. Comme nous le verrons, c'est en fonction de son propre développement que l'argument s'effondre; or, cet effondrement n'est jamais rien d'autre, à chaque fois, que la réaffirmation de la définition psychanalytique du sexuel – c'est-à-dire une réaffirmation de ce que je considère comme la plus radicale originalité de la pensée de Freud. Finalement, l'intention normalisatrice manifeste à l'intérieur du texte de Freud correspond à une ambition extra-textuelle, qui est cruciale à la fois pour sa propre carrière et pour toute l'histoire de la psychanalyse : celle d'élaborer une théorie cliniquement viable. Le type bien particulier de densité textuelle, qui va ici nous intéresser, peut donc être défini comme une tension entre certaines démarches spéculatives radicales et le désir de fonder en pratique, et même d'institutionnaliser, le processus spéculatif lui-même.

Dans l'histoire de la philosophie, et en particulier de la philosophie politique, c'est là une ambition familière. A l'époque moderne, par exemple, l'évolution du marxisme pourrait être décrite dans les termes d'une relation tumultueuse et fréquemment antagonique entre la théorie et la pratique politique – ou, plus fondamentalement, entre la conscience et la praxis. Mais alors, si la psychanalyse n'est qu'une nouvelle version de cet antagonisme, Freud aurait également dû nous apprendre à en redéfinir les termes. Les tensions que je vais examiner dans son œuvre devraient nous aider à voir, dans la relation à laquelle je viens de faire allusion, l'expression de quelque chose d'autre, quelque chose de plus étrange et de bien moins familier que l'ajustement toujours nécessaire de la théorie aux contraintes empiriques. Il s'agit de pressions qui sont inhérentes à la conscience elle-même, et qui sont en fait l'objet même de la réflexion psychanalytique. Celle-ci constitue, en effet, une tentative sans précédent pour fournir une explication théorique de ces forces qui ont précisément pour effet d'obstruer, de saper et de mener à la ruine toute explication théorique. Dans cette perspective, les oppositions entre la théorie et la pratique et entre le penseur et l'histoire sont fausses, ou tout du moins secondaires. Ou encore, en termes psychanalytiques, ce sont des oppositions symptomatiques qui révèlent, en même temps qu'elles le déguisent, un antagonisme interne à la pensée elle-même. En d'autres termes, elles relèvent de démarches stratégiques, intérieures à la conscience, par lesquelles une rationalité menacée formule le processus inévitable de son propre effondrement dans les termes historiquement tragiques, mais ontologiquement rassurants, d'un conflit entre l'imagination et la réalité, ou entre le sujet et l'objet, ou encore, dans le sens le plus large, entre l'individu et la civilisation.

Dans l'œuvre de Freud, nous verrons à la fois les avantages stratégiques et les dangers de cette opposition symptomatique quand nous lirons *Malaise dans la civilisation.* Ce que je voudrais pour le moment souligner, c'est l'ambiguïté de l'impératif clinique dans la pensée de Freud. Officiellement, la pratique de la psychanalyse est le seul moyen valable de tester la théorie; mais le passage de la théorie à la pratique peut également être interprété comme l'abandon de ce qui fait la spécificité de la théorisation psychanalytique. La vérification qu'est censée trouver dans l'application empirique la spéculation psychanalytique, fonctionne en fait comme une sorte de correctif au dysfonctionnement de la conscience spéculative elle-même; elle opère, à l'intérieur de cette conscience, comme une réaction contre les forces qui rendent le texte freudien à la fois théoriquement inopérant et psychanalytiquement efficace. C'est ce que nous verrons, de manière particulièrement claire, quand nous discuterons les phases de la sexualité infantile dans les *Trois Essais sur la théorie de la sexualité.* La première élaboration théorique de ces phases semble n'avoir eu que peu de rapport avec l'observation clinique des enfants. Dans les *Trois Essais,* elles apparaissent comme une sorte de dénégation, de résistance au fait que l'œuvre ne parvient pas à définir la sexualité; elles confèrent à la sexualité humaine la cohérence d'un récit historique qui contribue à obscurcir la nature incohérente, a-historique et non-narrative du plaisir sexuel, que Freud, dans le texte même des *Trois Essais,* parvient simultanément à démontrer et à « oublier ». C'est que cette autre définition du plaisir sexuel risque de ne pas être cliniquement viable, alors que la vérification clinique des phases de la sexualité infantile est nécessaire – *afin de rendre possible* leur vérification clinique...

INTRODUCTION

Quelle sorte de discipline est la psychanalyse? Et d'abord, est-ce bien une discipline? Dans quelle mesure le texte freudien ruine-t-il la notion même de discipline du savoir au moment où il cherche, non sans empressement et peut-être non sans angoisse, à en devenir une? Et, finalement, une réflexion psychanalytique sur le désir – réflexion à la fois paralysée, follement excessive et irréductiblement paradoxale – est-elle compatible avec la pratique d'une discipline, avec une rééducation du désir humain? Voilà, me semble-t-il, les questions les plus larges – questions qui constituent ce que j'appelais tout à l'heure la stratégie culturelle – que soulèvent mes propres lectures de Freud. Ces incertitudes quant au statut épistémologique de la psychanalyse ne feront d'ailleurs que se prononcer quand nous nous rendrons compte de la nécessité de lire le texte de Freud comme s'il s'agissait d'une œuvre d'art. J'aurai beaucoup à dire à ce sujet, mais il convient dès maintenant de préciser que ni mes procédés critiques à l'égard de Freud ni mes références à la littérature et aux arts plastiques n'ont pour dessein de déplacer le texte freudien d'un domaine culturel à un autre; je voudrais plutôt évoquer un certain type de réflexion – une sorte de pensée bloquée, de spéculation répétitive – qui est, en fait, profondément étrangère à toute notion de domaine et de limite. L'œuvre d'art rend visibles, dans une sorte de métaphore matérielle, des mouvements de la conscience qui n' « appartiennent » intrinsèquement à aucun domaine culturel particulier, mais traversent, pour ainsi dire, tout le champ des manifestations culturelles. Quand je parlerai de l'esthétisation du texte freudien, je ne voudrai pas dire par là qu'il a changé de catégorie culturelle, mais, bien au contraire, qu'il échappe à toute catégorie ou, plus exactement, qu'il est passé en deçà de la possibilité même d'instaurer le catégorique en principe de différenciation et de structuration de notre expérience du réel. C'est ce mouvement que la psychanalyse s'efforce d'expliquer théoriquement, et que, par ses péripéties, la théorie freudienne elle-même ne peut s'empêcher de reproduire. Le texte de Freud est « esthétisé » dans la mesure où, comme les autres œuvres d'art que nous allons considérer, il problématise ses propres aspirations formalisatrices et structurantes. En d'autres termes, cette œuvre ne cesse de déjouer les stratégies qu'elle s'ingénie par ailleurs à élaborer afin de se persuader – et de nous persuader – qu'une spéculation sur le désir inconscient et sur

15

les mécanismes de la sexualité n'a pas nécessairement un effet perturbateur sur de telles aspirations.

Enfin, si l'originalité la plus radicale de la psychanalyse résulte (comme celle de l'art) d'une *incapacité* de la conscience, les applications que la psychanalyse (là encore, comme l'art) peut légitimement trouver sont évidemment sérieusement mises en question. Si les difficultés de l'œuvre de Freud ne sont pas essentiellement celles d'un rigoureux ajustement de la pensée spéculative aux enseignements de la pratique thérapeutique, mais bien davantage la conséquence du travail de la pensée elle-même, alors l'adaptation à la pratique implique inévitablement une certaine répudiation de ce que nous pouvons concevoir comme les opérations de la textualité psychanalytique au sein même de la conscience. Et, pourtant, si la pensée freudienne est bien, comme elle doit l'être, une réflexion de (et sur) l'équivalence ontologique entre notre jouissance la plus intense et notre incapacité potentiellement catastrophique à l'adaptation, alors l'intention thérapeutique de la psychanalyse peut difficilement être mise au compte d'une simple tactique d'évasion. Ou, plus exactement, cette évasion même constitue un moment important dans l'histoire des efforts humains pour résister, ou du moins pour imposer un certain contrôle, aux plaisirs dévastateurs d'une conscience érotisée (et donc foncièrement dysfonctionnelle). Il ne serait alors pas tant question de répudier l'idée même de thérapie en psychanalyse, que de rejeter une forme de thérapie qui a elle-même répudié le fondement des maladaptations qu'elle prétend guérir. Ceux d'entre nous qui restent attachés à l'idée d'une pratique de la psychanalyse peuvent donc se consoler en pensant que nous n'aurions pas l'occasion de ré-inventer le traitement psychanalytique (ré-invention que je suis heureux de laisser aux spécialistes) si nous n'avions pas commencé par démontrer son impossibilité.

PREMIER CHAPITRE

Corpus freudianum

« Que foutait Dieu avant la Création? » C'est là une des questions théologiques qui, bizarrement, préoccupent Moran alors qu'il se traîne lamentablement sur son chemin de retour, après avoir vainement recherché Molloy. Ce penseur malgré lui se demande également : « Que penser de l'excommunication de la vermine au XVIe siècle? » « Faut-il approuver le cordonnier italien Lovat qui, s'étant châtré, se crucifia? » « Que penser du serment des Irlandais proféré la main droite sur les reliques des saints et la gauche sur le membre viril? » C'est ainsi que, vers la fin du roman de Beckett, surgit une possibilité alarmante : l'œuvre d'art ne menacerait-elle pas de tourner à la réflexion spéculative, et peut-être même de prendre certaines positions théoriques? Si je qualifie cette possibilité d' « alarmante », et si j'en parle comme d'une « menace », c'est que bien avant le moment où Moran nous inflige la rubrique de ses obsessions spéculatives, Beckett nous avait déjà exercés à voir dans l'intellection une nécessité aussi repoussante qu'inconcevable. En hommage au massacre de la pensée que répète inlassablement son œuvre, je me servirai donc de Beckett comme de prologue à cet effondrement de la pensée théorique que je voudrais considérer comme constitutif à la fois de la théorie freudienne et de la pratique esthétique.

Qui pense? Ou quoi? La question de savoir qui – ou peut-être ce qui – pourrait bien être le sujet d'une formulation théorique a toujours, chez Beckett, priorité ontologique sur la substance de ce qui est formulé. Le sujet de la théorie se dissout dans l'ironie hargneuse d'une théorie du sujet. Où se situe au juste l'aphasique Molloy dans le récit limpide, finement acerbe et même érudit qu'il nous donne de ses errances reptiliennes? Qui plus est, Molloy et Moran écrivent, ce qui chez Beckett signifie qu'ils entendent des voix – des voix que l'on serait d'abord tenté d'identifier à celle de l'auteur, mais qui, en réalité, dans la mesure où elles font partie de ce qui est sans doute en train d'être dicté, ne peuvent être qu'un des épisodes de l'acte d'écrire, plutôt que son origine fondatrice. Un personnage entend une histoire sur le fait qu'il entend des histoires. Tout se passe comme si l'analogie entre l'auteur et ces voix tyranniques venues des coulisses n'était suggérée que pour mieux être invalidée; l'autorité de l'auteur se trouve dissipée par la démarche même qui la signale à notre attention. Le récit de Beckett ne peut pas être attribué : il a lieu entre le nom des personnages et celui d'un auteur. Dans cette œuvre singulièrement volubile, personne ne parle; ni l'auteur, ni les personnages, ni même un narrateur susceptible d'identification.

La fiction beckettienne, pourtant, n'est en rien le produit d'une conscience désincarnée. Si elle se déplace dans les interstices entre des identités aussi problématiques que conventionnelles, ses déplacements sont toujours situés à l'intérieur d'un corps. Le jeu de l'esprit, chez Beckett, est à la fois impersonnel et fortement particularisé; la pensée est psychologiquement inexpressive, mais elle est soumise à la contrainte d'un emprisonnement corporel. D'une part, la pensée beckettienne cherche à minimiser sa dépendance par rapport au corps, en réduisant les mouvements de ce dernier. L'art de l'appauvrissement que pratique Beckett est en partie une tentative pour sauver la conscience des aléas de la mobilité et des tentations d'invention romanesque qui y sont inhérentes. Pour la pure pensée, la position optimale est celle du reptile avec les sévères restrictions de point de vue que cela comporte; la reptation est le mode de mobilité le plus propice à la pure intellectualité. D'autre part, la pensée chez Beckett se trouve irrésistiblement attirée par cette partie du corps qui semble le mieux refléter son propre dilemme. Je veux évidemment parler de l'anus qui, comme l'esprit, expulse du corps des substances que celui-ci produit et traite comme des déchets. La pensée, loin d'apporter dans ce monde radicalement non-cartésien une garantie d'essence, est un excrément de l'être. Anonyme et indéfinie, elle passe à travers un esprit qui peut toutefois s'opposer à son écoulement, bloquer son passage, et faire ainsi la démonstration presque pédagogique de l'affinité entre le corps et l'esprit. Tous les accès de constipation intellectuelle chez Beckett résultent d'une incapacité de la part de l'appareil mental à « traiter » le flot de pensée verbale qui vient mystérieusement s'y déverser. Le mythe d'une authenticité existentielle conçue comme pré-linguistique, tout en acculant Beckett à une reconnaissance de plus en plus exaspérée du fait que seul le langage peut garantir cette authenticité (même s'il ne peut logiquement y parvenir), est aussi ce qui lui permet de démystifier la prétention à la vérité de tout discours logique. Les formes de la rationalité se trouvent ainsi constamment « dé-formulées » par la force corruptrice de ce que l'on pourrait désigner comme une ironie charnelle.

Une semblable ironie pourrait bien sûr caractériser le modèle freudien de la relation entre la pensée et le corps, encore que chez Freud une théorie du désir permette une « mentalisation » plus ou moins viable des sensations corporelles. Les créatures décrépites et alibidinales de la fiction beckettienne ne produisent ni symptômes ni sublimations ; leurs corps n'interrompent le flot discursif que sur le mode d'une sorte de stupeur interrogative, jamais avec la violence syntactique ou rhétorique par laquelle l'activité fantasmatique fait éclater les structures et la logique du discours. Et pourtant, certaines lectures récentes des textes de Freud – lectures que l'on serait tenté de définir, de manière assez vague, comme « littéraires » – ont, pour ainsi dire, produit une conscience beckettienne de la pensée psychanalytique. Je veux dire par là, la conscience d'un échec fondamental dans les opérations de cette pensée – échec qu'il ne faut pas voir comme la conséquence d'hypothèses qui dans l'œuvre de Freud resteraient empiriquement incontrôlées, et qu'une méthodologie scientifique plus rigoureuse pourrait éventuellement corriger ou rejeter, mais bien comme la marque constitutive de la pensée psychanalytique elle-même.

Les lectures auxquelles je pense ont, à vrai dire, été accueillies par les institutions psychanalytiques et littéraires avec une méfiance considérable. C'est particulièrement le cas aux États-Unis, où, contrairement à ce qui se passait en France, la problématisation du texte freudien n'a pas été amorcée par le travail des psychanalystes, et où l'appropriation de la théorie freudienne par les critiques littéraires paraissait d'autant plus répréhensible qu'elle était entachée de connivence avec les élucubrations, toujours suspectes, des théoriciens parisiens... Pour les gardiens de la tradition empirique au sein de l'Association psychanalytique américaine, le Freud que beaucoup d'entre nous trouvent aujourd'hui le plus stimulant est précisément celui des spéculations les plus scientifiquement hasardeuses et intellectuellement irresponsables. Et, pour leurs homologues de l'Association des langues modernes, les stratégies de lecture mises en œuvre dans toutes ces folles analyses de « Dora », du « Président Schreber » et de « L'inquiétante étrangeté » ressemblent évidemment beaucoup à celles qui, au cours de ces dernières années, ont mis en question non seulement l'objectivité du texte littéraire mais aussi, et de manière plus radicale, son aptitude même à formuler des énoncés stables, et son accessibilité à l'interprétation.

Je dois admettre que je trouve, non sans quelque perversité, une certaine résistance au genre de travail dont je vais parler, à la fois utile et plausible. Utile, dans la mesure où elle nous oblige à admettre l'insignifiance salutaire de notre propre entreprise, et à éviter ces ambitions discursives auxquelles Freud lui-même, nous le verrons dans un moment avec *Malaise dans la civilisation,* se laisse aller tout en les sacrifiant. Plausible, dans le sens où nous ne pouvons nous empêcher de reconnaître, après tout, que les textes de Freud qui ont récemment semblé les plus dignes d'attention critique ont tendance à être, d'un point de vue théorique, les plus instables. Je ne chercherai pas, par exemple, à « réhabiliter » *Au-delà du principe de plaisir,* mais plutôt à retracer les étapes par lesquelles ce texte perd de sa force. C'est comme si les habitudes de lecture, que certains d'entre nous ont acquises en travaillant sur des poèmes, des romans ou des pièces, nous rendaient incapables d'apprécier la théorie, à moins que celle-ci ne soit, par exemple, fragmentaire, incomplète, et contradictoire. Encore plus : notre intérêt pour l'œuvre de Freud suggère même que nous sommes attirés par les textes théoriques dans la mesure précise où leurs positions théoriques ne parviennent pas à être formulées.

Où conduisent ces réflexions? Ce que je voudrais tout d'abord suggérer, c'est que les points d'effondrement théorique chez Freud sont inséparables de ce que j'oserai appeler la vérité psychanalytique. Car cette vérité est indissociable de l'activité corrosive – en même temps qu'insouciante – par laquelle la spéculation freudienne sur le désir ne cesse de se démanteler tout en s'élaborant. D'ailleurs, le souci de validité scientifique dans la psychanalyse n'est peut-être pas – contrairement à des allégations qui trouvent leur origine chez Freud lui-même – inhérent à la théorie freudienne, mais bien davantage un aspect de l'histoire politique du mouvement psychanalytique. Ce souci est, en d'autres termes, fonction des investissements de pouvoir considérables qui sont liés à la question de savoir qui est, et qui n'est pas, habilité à « parler (pour) la psychanalyse », investissements qui sont particulièrement visibles en médecine et en droit, et qui ont en dernière instance leur source dans le double statut – théorique et thérapeutique – de la psychanalyse. Ce n'est peut-être qu'à la lumière de tels investissements que nous pouvons comprendre la prédilection accordée, dans l'histoire de la psychanalyse, à une théorie stable, soumise à ce que j'appelerai la clarté domesticatrice des ordres narratifs, plutôt qu'à cette instabilité théorique qui constitue pour la psychanalyse le seul mode possible d'adhérence à son sujet. Je reviendrai souvent sur la fonction de ces ordres narratifs dans le travail de Freud. Ce que je voudrais pour le moment suggérer, c'est que la manière d'envisager la théorie dont je vais présenter plusieurs modèles ne devrait pas seulement mettre en question l'idéologie d'une compétence spécifiquement psychanalytique, mais aussi attaquer à sa base la possibilité même d'une théorie « appliquée » – que ce soit dans le domaine des études culturelles (psycho-histoire, critique psychanalytique, psychiatrie légale, etc.), ou dans le traitement psychanalytique lui-même. La psychanalyse peut-elle être pratiquée? La thérapeutique est-elle compatible avec la faillite perpétuelle d'un modèle théorique, faillite qui, comme nous le verrons, affecte en premier lieu la tentative freudienne pour définir le sexuel?

Mais pourquoi décrire l'attention portée à certains types d'effondrements textuels comme une lecture littéraire? La pertinence de la psychanalyse par rapport à la littérature n'a rien à voir avec la découverte d'un contenu secret de l'œuvre littéraire; et si, par la suite, je parle effectivement de la littérature dans des termes psychanalytiques, ce n'est certainement pas pour faire une critique psychanalytique *de* la littérature. S'il y a pertinence, c'est ailleurs qu'elle doit être cherchée : dans un certain rapport entre la signification et le mouvement dans le discours, rapport qui caractérise le langage littéraire et qui est également un objet (fréquemment répudié) de la spéculation psychanalytique. L'écriture ne commence peut-être à opérer sur le mode de ce que nous appelons la littérature qu'à partir du moment où, par un certain type d'insistance dans la répétition que nous essayerons de définir, elle se met à éroder ses propres positions, et par là à bloquer l'interprétation. C'est pourquoi nous ne parlerons pas de ce processus d'esthétisation comme d'une « mise en forme », mais comme d'une subversion des formes, et même comme d'une sorte de résistance politique à la séduction formelle de tout discours coercitif. L'œuvre de Freud nous offre à la fois un discours interprétatif sur ces forces d'érosion, et l'illustration, à l'intérieur même de ce discours, du processus d'érosion lui-même. Lire Freud, c'est assister au devenir-littérature d'un discours qui avait pour ambition de dominer la littérature du haut d'une théorie scientifiquement validée. Or, c'est précisément à ce moment pour ainsi dire métamorphique que le texte freudien devient aussi un texte psychanalytique, c'est-à-dire au moment où il commence à démanteler son propre discours et à rendre immensément problématique l'identité du penseur « dans » ou « derrière » ce discours.

Effondrement ou blocage de la théorie, disparition du sujet : parlons-nous toujours de Freud, ou sommes-nous revenus à Beckett ? Ce n'est assurément pas dans le prosélytisme des propos du fondateur de la psychanalyse que nous trouverons l'obstination beckettienne à désarticuler le discours civilisé. Et pourtant, rien n'est plus étrange que la manière dont les explications inlassablement répétées par Freud – apparemment dans le but de rendre le message psychanalytique accessible au plus grand public – ont pour effet de mettre en échec toute possibilité d'explication. Chez Freud, un effort explicite pour être intelligible en arrive, à force d'intensité, à subvertir la communication vers laquelle il semblait tendre, comme si la concentration exigée par cet effort de lucidité produisait la secrète jouissance d'un phénomène d'autodestruction de l'intelligence.

L'extraordinaire ambition de Beckett (ambition constamment tenue en échec par ce qui est ressenti chez lui comme l'exaspérante prolifération de ses ressources expressives et communicatives) serait de produire un art culturellement non-viable. Se pourrait-il, au contraire, que le démantèlement des formes de discours culturel les plus « élevées », au lieu de déboucher sur l'idéal beckettien d'une stase biologique, soit en fait culturellement productif? De manière plus générale, quelle est la place, ou quelles sont les possibilités d'existence, du discours culturel et de l'art dans la civilisation? Abordons ces questions en nous tournant vers l'œuvre dans laquelle Freud leur apporte sa réponse la plus pessimiste. Je pense, bien sûr, à *Malaise dans la civilisation,* et ce que j'aimerais montrer, c'est que le sujet de ce livre est bien moins l'antagonisme qui s'y trouve explicitement proposé entre bonheur et civilisation, que la série des démarches par lesquelles cet argument est conduit à sa ruine. La plus célèbre des positions théoriques de Freud concernant la civilisation doit être lue comme la plus dévastatrice des critiques d'une civilisation de la théorie.

On connaît l'argument central – d'ailleurs extrêmement simple – de *Malaise dans la civilisation* : « Le progrès de [la civilisation] doit être payé par une perte de bonheur »; les satisfactions instinctuelles de l'individu sont incompatibles avec le progrès social, et même avec la survie de la société. Or, ce qu'il y a de plus frappant dans cette œuvre, où une opposition si claire est mise en place, c'est la difficulté que Freud semble éprouver à trouver son sujet. Loin de commencer par une thèse sur la civilisation, le livre s'ouvre sur une discussion polémique de l'expérience religieuse. Le premier chapitre s'amorce avec une sorte de note renvoyant à *l'Avenir d'une illusion,* que Freud avait publié en 1927. En réponse à une lettre dans laquelle Romain Rolland l'accusait de ne pas avoir su reconnaître « la source réelle de la religiosité » dans « la sensation de l'éternité..., le sentiment de quelque chose d'illimité, d'infini, en un mot : d'océanique », Freud, qui avoue ne pas pouvoir trouver ce sentiment océanique en lui-même, maintient que la source s'en situe dans le « narcissisme illimité » de la petite enfance (au moment où le moi ne s'est pas encore différencié du monde extérieur), et que dans tous les cas la source des sentiments religieux est le « besoin... de protection par le père ». C'est comme par parenthèse qu'à la fin du premier chapitre une suggestion, selon laquelle le sentiment océanique pourrait être « une première recherche de consolation religieuse » (ce serait une manière dont le moi désavoue les dangers du monde extérieur), conduit à la question du malheur de l'homme – c'est-à-dire à la question plus primordiale de savoir pourquoi nous avons besoin d'être consolés. Quand commence le chapitre trois, Freud parle de son livre comme d'une « étude sur le bonheur », et c'est au cours de ce chapitre que la thèse paradoxale de *Malaise dans la civilisation* finit par être énoncée dans ce que Freud reconnaît comme une « assertion surprenante » : c'est la civilisation qui est responsable de notre misère. Pourquoi?

Le reste de *Malaise dans la civilisation* consiste en une tentative – ou, plutôt, plusieurs tentatives – pour répondre à cette question, mais avant d'en arriver là, il faudrait souligner l'étonnante banalité des premiers chapitres. Est-ce bien là le langage de la psychanalyse? Comme pour confirmer notre impression, Freud lui-même semble se poser la question. Par trois fois, il se plaint de ne pouvoir raconter dans ce livre que « des choses qui, à proprement parler, vont de soi », ou de dire « ce que tout le monde sait ». Et, de fait, les premières discussions – portant sur la manière dont les êtres humains trouvent refuge contre la souffrance (dans la boisson, la religion, l'art), sur les diverses causes de souffrance (la nature, notre corps, la société), et sur les conquêtes de la civilisation (la propreté, l'ordre, l'art, la science) – sont banales, schématiques, et se perdent dans les généralités. Par leur pessimisme rationaliste, elles rappellent un conte philosophique auquel Freud se réfère à deux reprises : *Candide.*

Les conceptions psychanalytiques de la souffrance et du bonheur sont-elles réduites, en 1930, à n'être plus que voltairiennes? Ce serait effectivement le cas si certaines impulsions d'une tout autre nature n'étaient rendues textuellement visibles par un jeu très curieux entre le corps du texte freudien (plus exactement, sa partie supérieure) et les notes ajoutées en bas de page. Une sorte de folie est projetée dans le texte de Freud depuis ces pensées secondaires, ces arrière-pensées, ces pensées de bas de page. Les notes amènent en fait à une redéfinition du bonheur individuel, de la civilisation, et du conflit qui est censé les opposer. Dans la première des trois notes auxquelles je vais faire allusion, Freud nous offre ce qu'il appelle une hypothèse « extravagante » [*eine – phantastisch klingende – Vermutung*], fondée pourtant sur des données psychanalytiques, sur l'origine d'un des « premiers faits culturels », la domestication du feu. L'homme primitif n'a été capable d' « emporter [le feu] avec lui et de le soumettre à son service [*in seinen Dienst zwingen*] » que

quand il a renoncé au plaisir d'éteindre les flammes en urinant
sur elles. Étant donné, poursuit Freud, qu'il ne peut y avoir
aucun doute sur l'« interprétation phallique originelle de la
flamme s'élevant et s'étirant dans les airs », uriner sur le feu a
dû être « comme un acte sexuel avec un être masculin [*wie ein
sexueller Act mit einem Mann*], ... une manifestation agréable
de puissance virile au cours d'une sorte de " joute " homo-
sexuelle ». Autrement dit, la civilisation aurait eu pour condition préalable, non pas exactement une renonciation à l'homosexualité, mais une renonciation à quelque chose qui était
« comme un acte sexuel » avec un autre homme, c'est-à-dire à
une forme d'homosexualité symbolique, dans laquelle la com-
pétition pour un pouvoir phallique donnait lieu à une expérience de plaisir sexuel. « Il y a lieu de relever aussi, écrit Freud
à la fin de la note, le rapport si constant qui existe, comme
l'expérience analytique en témoigne, entre l'ambition, le feu et
l'érotique urétrale. » Mais, ce qu'il faudrait surtout relever, une
fois établies ces connexions, c'est que la seule conclusion qu'on
puisse en tirer est que *la civilisation dépend d'une renonciation
à l'ambition*. « Celui qui renonça le premier à la joie d'éteindre
le feu en urinant dessus fut alors à même de l'emporter avec lui,
et de le soumettre à son service. En étouffant le feu de sa
propre excitation sexuelle, il avait domestiqué cette force
naturelle qui est la flamme. »

Distinction extrêmement intéressante – même si elle n'est pas
poursuivie – entre une agressivité compétitive et destructrice à
l'égard du feu (or l'agressivité deviendra un concept clé des
chapitres suivants) et une appropriation qui le « soumet » et le
« domestique ». La civilisation nécessiterait donc une relation
non-phallique au phallique (ou, plus précisément, une « déphal-
licisation » de la relation de l'homme au monde). Or, c'est
exactement dans ces termes que Freud définit la relation de la
femme au feu : « ... la femme aurait été choisie comme gardienne du feu capté et conservé au foyer domestique pour la
raison que sa constitution anatomique lui interdisait de céder à
la tentation de l'éteindre ». Un manque providentiel, pourrions-
nous dire, fait naturellement de la femme la gardienne d'une
« conquête tout à fait extraordinaire et sans précédent », à
laquelle les hommes ne sont parvenus qu'au prix d'une pénible
renonciation. Ainsi le feu, dans cette note de Freud, ne devient
une conquête culturelle qu'à partir du moment où il est

dé-symbolisé, où, n'évoquant plus le fantasme d'une menace phallique excitante, il n'est plus perçu que comme un phénomène naturel. La conquête, l'avance de la civilisation, implique un certain retrait de l'homme par rapport à la nature, une différence plus tranchée entre le moi et le monde. En d'autres termes, elle implique un renoncement à la jouissance du « sentiment océanique », lequel, on commence à le voir, pourrait bien dissimuler, derrière une inoffensive « sensation d'éternité », un degré considérable d'agression destructrice à l'égard du monde.

La note de Freud, on s'en souvient, était fondée sur « des données analytiques »; la partie supérieure du texte appartient aux ambitieuses spéculations anthropologiques dont nous trouvons d'autres exemples dans *Moïse et le Monothéisme, l'Avenir d'une illusion,* et *Totem et Tabou.* La note en bas de page conduit à des formulations presque inconcevables : l'ambition est incompatible avec la civilisation, l'homme renonce au désir de dominer le feu pour pouvoir le soumettre, et l'appropriation culturelle de la nature dépend d'un retrait de l'homme par rapport à elle. Le texte lui-même, d'autre part, est un curieux mélange de notions passablement tirées par les cheveux (la civilisation a commencé quand l'homme est devenu sexuellement possessif) et de la sagesse populaire la plus rebattue (les femmes se plient difficilement aux exigences de la société, les familles heureuses ne demanderaient qu'à passer tout leur temps ensemble). Ce n'est pas tant que Freud raconte là des choses qui vont de soi, comme lui-même le répète de manière presque obsessionnelle, mais plutôt qu'un tel discours appartient à un type de représentation culturelle qu'il nous a lui-même appris à considérer comme symptomatique. Le texte de *Malaise dans la civilisation* est le symptôme d'une maladie culturelle, d'un malaise, d'un *Unbehagen.* Il manifeste ce que l'on pourrait désigner comme une ambition discursive exceptionnelle, un intense plaisir à se laisser aller précisément à ce ton prophétique pour lequel Freud, à la dernière page du même *Malaise dans la civilisation,* prétendra n'avoir aucune inclination.

Une problématique du grand homme et de son discours est dans ce livre absolument cruciale. Le paragraphe sur lequel s'ouvrait le premier chapitre, et qui semblait n'avoir aucune suite, tournait justement, de manière quelque peu irrésolue, autour de la question suivante : peut-on dire que les grands hommes ne sont appréciés que par une minorité de leurs contemporains? Mais la considération dont jouissent les déclarations des grands hommes a peut-être pour condition le refus de tenir compte de la manière dont la psychanalyse peut nous apprendre à les lire. Dans le propre cas de Freud, ce refus prend une forme d'autant plus subtile qu'il utilise le *contenu* des idées psychanalytiques (telles que le conflit œdipien avec le père) en vue d'échapper au mode de discours qu'illustrent en partie les notes en bas de page. Dans la note sur le feu, une identité paradoxale entre des termes d'apparence opposés – renoncer à dominer pour pouvoir soumettre – démystifie l'image édifiante donnée par le texte d'hommes travaillant ardemment à bâtir la civilisation avec d'autres hommes. Car le paradoxe peut être lu psychanalytiquement comme un message sur le désir : la civilisation est incompatible avec la violence inhérente à la sexualité symbolique d'une communauté phallique. Le texte, en revanche, présente une version à la fois plus évoluée et plus répressive, qui légitime un désir de destructivité chez l'homme, en le faisant découler d'une logique historique apparemment naturelle.

Cette logique se laisse pourtant déjà subvertir par une certaine incohérence dans le corps du texte lui-même, incohérence due au fait qu'une stratégie symptomatique se trouve submergée par les désirs qu'elle doit à la fois satisfaire et refuser de reconnaître. Très curieusement, et sans la moindre explication, toute la question du « bonheur et de la liberté individuels » est devenue dans le quatrième chapitre une discussion sur la sexualité. L'amour sexuel a donné à l'homme « les plus fortes satisfactions de son existence et constitue pour lui à vrai dire le prototype de tout bonheur ». Le rapport entre l'individu et la civilisation prend rapidement la forme d'une histoire et d'une anatomie du désir sexuel. Qui plus est, « le prototype de tout bonheur » est évoqué dans des termes étonnamment crus. Freud nous avait déjà dit, au deuxième chapitre, que l'intensité des satisfactions qu'apporte le travail scientifique ou artistique est « affaiblie » « en regard de celle qu'assure l'assouvissement des désirs pulsionnels grossiers et primaires..., elles ne bouleversent pas notre organisme physique [*sie erschüttern nicht unsere Leiblichkeit*] ». Ce qui, par contre, causait ce bouleversement, suggère Freud dans deux notes tout à fait étonnantes aux premières et dernières pages du chapitre quatre, c'était l'expérience sexuelle, ou plutôt l'odeur qui la faisait naître, avant que nous n'adoptions la posture verticale. Mais notre sexualité a baissé d'intensité quand nous nous sommes relevés. L'érotisme anal et la stimulation olfactive ont tous deux été soumis à ce que Freud appelle un « refoulement organique », dont le résultat est notre horreur des excréments, et, du moins selon Freud, une répugnance à l'égard de la sexualité, une honte de nos organes génitaux et de leurs odeurs qui, toujours selon Freud, « sont intolérables à un grand nombre [de gens] et les dégoûtent des rapports sexuels ». Et quelle perte, puisque Freud suggère, en concluant la note finale du quatrième chapitre, que c'est la « sexualité tout entière » qui est menacée de refoulement par la manière dont l'homme civilisé déprécie les odeurs sexuelles. Rien n'est plus étrange – et je serais tenté de dire que rien n'est plus émouvant –, dans *Malaise dans la civilisation,* que ces notes de confession érotique – c'est-à-dire ces moments où une imagination anthropologique distinguée (même si elle est à l'occasion extravagante ou banale) quitte son texte pour une note en bas de page où elle descend jouir, sur un mode fantasmatique, des convulsions mythiques et pré-historiques qui saisiraient, dans son être physique, un mâle à quatre pattes emporté par un reniflement passionné.

On a peut-être également remarqué que l'argument de Freud a subi une inflexion aussi cruciale qu'inattendue. Alors que dans le texte, c'est la civilisation qui doit admonester le couple étroitement uni afin qu'il quitte la couche nuptiale pour vaquer aux affaires plus sérieuses de la communauté, la note à laquelle je viens de faire allusion parle d'une *sexualité qui serait sa propre antagoniste,* et qui serait par les conditions même de sa constitution condamnée à une sorte d'échec. Déjà, tout à la fin du quatrième chapitre, et cette fois dans le corps même du texte, Freud avait soulevé une question extrêmement troublante : « On croit parfois discerner que la pression civilisatrice ne serait pas seule en cause; de par sa nature même, la fonction sexuelle se refuserait quant à elle à nous accorder pleine satisfaction et nous contraindrait à suivre d'autres voies. Peut-être est-ce là une erreur? Il est difficile de se prononcer. » C'est ainsi que se termine le chapitre quatre, si l'on ne tient pas compte de la note dans laquelle Freud essaye de définir ce quelque chose d'insatisfaisant dans la nature de la sexualité elle-même. Il retient là trois facteurs : le refoulement organique de nos perceptions olfactives et de l'érotisme anal (c'est la conjecture qui va « le plus au fond des choses »), notre inhérente bisexualité (ce qui signifie, écrit-il, qu'un même objet ne peut jamais satisfaire à la fois nos désirs mâles et femelles), et finalement cet « appoint de tendance agressive directe [*ein Betrag von directer Aggressionsneigung*] qui s'associe si souvent à la relation érotique entre deux êtres ».

Il y a un « retour du refoulé » dans *Malaise dans la civilisation* : entre le chapitre cinq et le chapitre huit, l'agression va faire retour dans le corps du texte – qu'elle va finir par submerger –, mais non sans avoir subi une distorsion cruciale. Si, comme je le suggère depuis un moment, les notes jouent dans cette œuvre le rôle de l'inconscient selon la psychanalyse, le contenu des notes ne pourra être admis dans le texte proprement dit que si les éléments sexuels en sont au moins partiellement expurgés. Et c'est ainsi que Freud, illustrant par la composition de son texte sa propre formulation des lois du refoulement et de la formation des symptômes, va effectivement consacrer le reste de la partie supérieure de son texte – de la partie symptomatique – à l'analyse d'une pulsion agressive qui serait non érotique.

L'agressivité est introduite dans le texte pour tenter d'expliquer une des « exigences idéales » de la société civilisée : « Tu aimeras ton prochain comme toi-même. » Pourquoi la civilisation ne peut-elle laisser la libido au couple? Pourquoi insiste-t-elle pour que la communauté tout entière soit liée libidinalement? Dans l'espace de trois ou quatre pages, Freud passe d'une attaque rationaliste contre l'impératif moral d'un amour universel (tout le monde ne mérite pas que je l'aime, un amour sans discrimination est une insulte à ceux qu'on aime) à une explication psychanalytique qui est à la fois une démystification et une justification de cet impératif. On nous dit d'aimer les autres précisément parce que c'est ce que nous ne pouvons pas faire; « aime ton prochain » est un commandement « dont la justification véritable est précisément que rien n'est plus contraire à la nature humaine primitive », laquelle, écrit Freud, ne nous pousse pas à aimer notre prochain, mais à l'exploiter, à le voler, à le violer, et à l'assassiner.

Mais en quoi consiste exactement cette agressivité? Le

trouble que traduit la mobilité spéculative de *Malaise dans la civilisation* n'est nulle part plus évident que dans les efforts de Freud pour répondre à cette question. La réponse principale – ou plutôt officielle – est que « cette pulsion agressive est le rejeton et le porte-parole principal de [la pulsion] de mort que nous avons trouvée à l'œuvre à côté de l'Eros et qui se partage avec lui la domination du monde ». Il y a là une référence évidente à la thèse d'*Au-delà du principe de plaisir* et, comme dans cet ouvrage, Freud maintient ici – c'est-à-dire, une dizaine d'années plus tard – « l'ubiquité de l'agression et de la destruction non-érotisées », tout en reconnaissant, comme il l'avait déjà fait, d'ailleurs, dans *Au-delà du principe de plaisir,* que la pulsion de mort dont dérive cette destructivité « nous échappe dès que son alliage avec [les manifestations érotiques] ne la trahit plus ». Mais, cette fois, Freud va encore plus loin : même « lorsque [la pulsion de mort] entre en scène sans propos sexuel, ... dans l'accès le plus aveugle de rage destructrice, on ne peut méconnaître que son assouvissement s'accompagne là encore d'un plaisir narcissique extraordinairement prononcé, en tant qu'il montre au Moi ses vœux anciens de toute-puissance réalisée ». Soudainement, l'agressivité se met bizarrement à ressembler – contre toute attente – au sentiment océanique, lequel, on s'en souvient, était l'impression d'une extatique unité avec l'univers, d'une rupture des limites entre le moi et le monde, dont l'origine pouvait être située dans le « narcissisme illimité » de la petite enfance. L'agressivité, comme le sentiment océanique, comporte donc un intense plaisir érotique. Contre l'idée selon laquelle ce sentiment est « la source réelle de la religiosité », Freud avait maintenu qu'il s'agit plutôt d' « une première recherche de consolation religieuse », d'un remède illusoire à la souffrance humaine. Or, ce que Freud suggère maintenant, c'est que nous souffrons parce que la civilisation insiste pour que nous réprimions le « plaisir narcissique extraordinairement prononcé » qui accompagne la satisfaction des pulsions agressives (c'est-à-dire la satisfaction d'avoir brisé les résistances du monde, et, encore plus fondamentalement, d'avoir réduit les différences qui le séparent du moi). Rien de plus paradoxal que la manière dont la religion propose le sentiment océanique comme remède à la souffrance causée par ... la répression du sentiment océanique. Plus exactement, le remède à la maladie est une sublimation

30

mystificatrice de la cause de la maladie. Le sentiment océanique est une reformulation inoffensive de notre « rage destructrice » la plus aveugle.

Cette mystification nous met pourtant sur la voie d'une vérité cachée sur la destructivité : son identité avec l'amour. Non seulement Freud avait parlé, dans la dernière note du chapitre quatre, d'un quota de « tendance agressive » qui « s'associe souvent à la relation érotique »; non seulement il reconnaît, comme nous venons de le voir, qu'une intense jouissance narcissique accompagne la destructivité; mais il est même allé, au cours du chapitre cinq, jusqu'à affirmer, en objection à l'argument communiste selon lequel c'est la propriété privée qui a créé l'agressivité, que cette dernière constitue « le sédiment qui se dépose au fond de tous les sentiments de tendresse ou d'amour unissant les humains, à l'exception d'un seul peut-être : du sentiment d'une mère pour son enfant mâle ». Que l'on abolisse la famille pour instituer une liberté sexuelle totale, et l'indestructible destructivité des êtres humains n'en subsisterait pas moins. A peine quelques pages après que Freud a suggéré très provisoirement, à la fin du quatrième chapitre, que « par sa nature même, la fonction sexuelle » pourrait se refuser à nous accorder pleine satisfaction, nous le voyons affirmer, cette fois sans la moindre hésitation (et bien qu'il continue à insister sur le caractère non érotique de cette agressivité...), qu'une agressivité destructrice constitue le « sédiment » de l'amour humain, ce qui, me semble-t-il, pourrait bien être une autre manière de dire que *la destructivité est constitutrice de la sexualité.*

Je reviendrai sur cet argument au prochain chapitre. Ce que je voudrais pour le moment souligner, c'est l'effondrement des distinctions entre les termes fondamentaux de *Malaise dans la civilisation.* L'argument explicite est le suivant : nous devons sacrifier une partie de notre sexualité et la sublimer dans un amour fraternel, de cette manière nous pourrons contrôler nos impulsions meurtrières à l'égard des autres. Mais, en fait, le texte ne cesse de reformuler cet argument, même si c'est de manière oblique, pour arriver à ceci : l'amour humain est quelque chose comme un sentiment océanique qui menace de faire éclater la civilisation dans l'ébranlement de sa jouissance narcissique. Ce n'est pas que nous passions de l'amour à l'agressivité dans ce texte de Freud, mais l'amour est redéfini, re-présenté *comme* agressivité. Reste à constater, pour conclure cette lecture de *Malaise dans la civilisation,* que la civilisation, elle aussi, répète les deux autres termes plutôt qu'elle ne s'y oppose, faisant ainsi reposer l'argument de Freud sur une triple tautologie : sexualité = agressivité = civilisation.

Au reste, nous devrions déjà être avertis de la nature tautologique du livre par le fonctionnement curieusement circulaire et répétitif de ses définitions et de ses formules : nous soumettons la nature en renonçant à la dominer, nous devons aimer autrui parce que nous ne pouvons pas l'aimer, et, pour finir, dans les derniers chapitres, la civilisation combat l'agressivité en la renvoyant à sa source, en même temps que les renonciations instinctuelles augmentent la culpabilité qu'elles étaient censées apaiser. Comment une structure dualiste peut-elle survivre à cette surprenante identité des termes en opposition, et à ce mouvement en spirale – je dirais presque à ce tourbillonnement – qui ramène chaque proposition à son point de départ? Tautologique et circulaire, la logique explicative de *Malaise dans la civilisation* est une logique rigoureusement psychanalytique, qui tourne implicitement en dérision les grandes distinctions philosophiques et les procédés narratifs de Freud penseur prophétique. En faisant éclater les limites qui séparent différents concepts, elle nous offre une parfaite illustration de ce que l'on pourrait désigner comme une textualité océanique.

La démarche la plus dévastatrice de cette textualité est l'élimination du terme même de civilisation. Freud écrit, au début du chapitre six, que la civilisation inhibe l'agressivité en la renvoyant d'où elle vient; une partie du moi, « en tant que " Surmoi " », se met « en opposition avec l'autre partie. Alors, en qualité de " conscience morale ", elle manifeste à l'égard du Moi la même agressivité rigoureuse que le Moi eût aimé satisfaire contre des individus étrangers ». L'inconvénient de cette solution, pourtant commode, est que si la conscience morale « est en fait la cause du renoncement à la pulsion, ... ultérieurement la relation se renverse. Tout renoncement pulsionnel devient alors une source d'énergie pour la conscience, puis tout nouveau renoncement intensifie à son tour la sévérité et l'intolérance de celle-ci ». Comment cela est-il possible? Les efforts de Freud pour répondre à cette question aboutissent aux deux ou trois pages les plus denses, et les plus difficiles, de

Malaise dans la civilisation. Sans entrer ici dans toute la complexité du passage en question, remarquons que Freud y propose deux manières de comprendre le singulier renversement que nous venons de voir s'opérer dans le rapport entre la conscience morale et les renonciations instinctuelles. Tout d'abord, les *désirs* d'agression ne disparaissent pas avec le renoncement à un comportement agressif. Ceci est relativement évident, mais au cours de la deuxième explication, Freud suggère – et sans doute faudrait-il y voir une influence kleinienne – une extraordinaire révision de sa théorie de l'origine du Surmoi. Au lieu de n'être que le représentant interne d'une autorité extérieure, le Surmoi est maintenant également devenu, sur le mode d'une tautologie, une répétition de l'agressivité originelle du Moi lui-même. Il ne s'agit plus simplement d'une séquence : désir, menace extérieure de punition, et intériorisation de cette menace en tant que conscience morale. Maintenant, Freud parle d'une sorte de méta-agressivité, d'une agressivité qui s'est développée en réaction contre une autorité extérieure qui refusait de satisfaire nos premiers désirs. L'enfant s'est ingénieusement identifié à cette autorité, non pas pour continuer à subir ses punitions de l'intérieur, mais pour pouvoir la posséder en toute sûreté, en lui-même, comme objet ou victime de ses propres pulsions agressives. La renonciation à l'agressivité est donc inhérente à la manière dont celle-ci se constitue, mais c'est une renonciation qui multiplie la force d'agression. Étant donné les limitations de notre pouvoir effectif sur le monde extérieur, on peut dire que la répression de l'agressivité constitue la seule stratégie réaliste de satisfaction de l'agressivité. Ainsi, le pouvoir d'inhibition de ce que Freud appelle la civilisation est inintelligible – si l'on exclut le recours à la force brute –, sinon dans les termes des mécanismes internes que nous venons de préciser. En un sens très important, la civilisation n'est chez Freud, du moins cet aspect de la civilisation qu'il conçoit comme un Surmoi socialisé, qu'une métaphore culturelle dans laquelle se réalise notre irrésistible désir narcissique de destruction du monde. De ce point de vue, la civilisation n'apparaît plus comme l'adversaire infatigable, bien que généralement vaincu, de l'agressivité individuelle, mais bien comme la cause de l'antagonisme même que *Malaise dans la civilisation* s'était proposé d'examiner. Le régulateur de l'agressivité n'est finalement rien d'autre que ce qui fait d'elle un problème.

On ne voit jamais très clairement, dans *Malaise dans la civilisation,* comment Freud envisage le rapport entre l'individu et la civilisation. D'un côté, ils sont immobilisés l'un par l'autre dans une lutte qui pourrait bien être sans issue; de l'autre, l'histoire de la civilisation est présentée par Freud comme une analogie sociale du développement de l'individu. Mais, si un Surmoi culturel redouble, au plan collectif, le Surmoi individuel, on a du mal à voir sur quoi se fonde leur antagonisme : ils devraient, après tout, avoir le même but. Et, si nous poussons l'analogie un peu plus loin, nous aboutissons à l'image extrêmement curieuse, ou plutôt à l'allégorie, d'une civilisation rendue malheureuse, comme l'individu, par ses propres renonciations instinctuelles... D'ailleurs, tout à la fin de son livre, Freud nous avise de « procéder avec beaucoup de prudence » dans nos tentatives « d'application de la psychanalyse à la communauté civilisée »; il faut après tout se rappeler, écrit-il, « qu'il s'agit uniquement d'analogies ». On pourrait même dire qu'une lecture psychanalytique de *Malaise dans la civilisation* suggère qu'il n'y a en fait ni opposition ni analogie entre l'individu et la civilisation, celle-ci n'étant peut-être qu'une extension dans le champ discursif de cette agressivité érotiquement chargée que Freud lui oppose peut-être par erreur. Le danger des analogies, comme des oppositions, entre l'individu et la civilisation – danger que Freud illustre lui-même dans ce livre – est que le discours qui les met en avant tend à déguiser, et par conséquent à perpétuer, une agressivité suicidaire en la présentant à la fois comme inévitable et comme obligatoire pour une société à un stade culturel avancé. Posée ainsi, une réflexion théorique sur la violence conduit nécessairement à en faire l'apologie.

Y a-t-il une autre manière de concevoir la reprise de la sexualité par le discours culturel? Ou, en d'autres termes, peut-on concevoir, à l'intérieur d'une spéculation freudienne, un mode de reproduction de la sexualité dans la culture qui, au lieu de légitimer sa violence, parviendrait au moins partiellement à la dissiper? Quelques œuvres d'art – un poème, un film, des romans, et des bas-reliefs assyriens – nous aideront à apporter un début de réponse à cette question. Disons tout de suite que la condition préalable d'une telle transformation serait de renoncer à prendre comme modèle le discours prophétique du grand homme. L'ambivalence que Freud manifeste à l'égard de ce discours et de ce rôle, au moment même où il en donne l'exemple, n'est pas le moindre signe de sa complexité – ni le moins émouvant. Si, comme il l'écrit, « le Surmoi d'une époque culturelle ... se fonde sur l'impression laissée après eux par de grands personnages », alors ses commentaires pessimistes du chapitre huit sur les dangereux excès de sévérité et les « procédés antipsychologiques » du Surmoi collectif conduisent à la nécessité d'instituer un nouveau type de discours théorique. Un discours qui serait radicalement différent de celui par lequel, dans les puissantes élaborations théoriques que nous venons de voir, Freud lui-même cherchait à occulter la trace de ces effondrements théoriques qui seuls authentifient une théorie du désir, pour donner à la psychanalyse la cohésion et la stabilité d'un système de connaissance philosophique ou anthropologique. Le pessimisme de *Malaise dans la civilisation* devrait suffisamment nous prévenir : c'est le signe discursif d'une mélancolie peut-être suicidaire, l'aura à peine perceptible d'une complicité entre la culture et la puissance d'une destructivité anticulturelle, d'un désir enfantin et meurtrier d'éteindre le feu de l'autre.

Sautons pour finir, et risquons un premier rapprochement entre Freud et Mallarmé. Mon intention, en encadrant cette première analyse de Freud d'abord par des considérations sur Beckett et maintenant par quelques mots sur Mallarmé, est évidemment de suggérer, par ces références inattendues, quelque chose sur le statut du langage dans l'œuvre de Freud. Je ne voudrais pas minimiser la différence qu'il y a entre une pratique institutionnalisée et l'opération mallarméenne, entre d'une part un effort plus ou moins collectif (qui a maintenant presque cent ans) pour systématiser une nouvelle manière de comprendre et de traiter le phénomène humain, et d'autre part la poésie résolument secrète d'un homme qui prétendait ne faire rien d'autre, chaque fois qu'il commettait la folie de rendre public un poème, que d'envoyer à ses contemporains « sa carte de visite, stances ou sonnet, pour n'être point lapidé d'eux, s'ils le soupçonnaient de savoir qu'ils n'ont pas lieu ». Et pourtant, si je prends le risque de juxtaposer Freud et Mallarmé, c'est en partie parce que l'entreprise mallarméenne, malgré son apparent dédain de la fonction communicative, contient un message sur les discours culturels, ou plus exactement un message sur la transmission des messages dans la culture. En un sens, Mallarmé avait une ambition épistémologique aussi démesurée que celle de Freud : le *Livre,* après tout, aurait été l'autorité absolue, il aurait apporté « l'explication orphique de la Terre ». Et pourtant, en contraste avec cette ambition plus célèbre, Mallarmé, me semble-t-il, s'est évertué à ruiner la prétention de la littérature à toute autorité, quelle qu'elle soit. Dans la turbulence spéculative de « Crise de vers », par exemple, il semble proposer une conception selon laquelle la littérature serait une activité impossible à localiser, peut-être même inaudible et invisible, et qui serait dénuée de toute autorité sémiotique ou épistémologique. Et c'est pourtant dans l'effacement de son propre pouvoir d'énonciation – et même dans l'apparent désapprentissage de la technique par laquelle sont formés ce que nous appelons des énoncés – que Mallarmé cherchait à définir l'intérêt historique, et même politique, de sa carrière.

Que signifie le fait d'être historiquement et textuellement présent? Mallarmé voyait dans la croyance au présent l'aberration de son époque. « ... Il n'y a pas de Présent, non », annonçait-il à ses contemporains dans l'essai *l'Action restreinte,* « un présent n'existe pas... » Extraordinairement attentif à son époque, Mallarmé lui donne l'exemple d'une attention désorientée. Sa propre présence historique, en tant que figure d'autorité littéraire, est une leçon de non-présence – de cette sorte de non-présence qui est constitutive de l'attention et de l'expression humaines. Les signes les plus sûrs de l'attention mallarméenne sont un éloignement par rapport aux objets de cette attention, et les termes presque impénétrables dans lesquels Mallarmé se plie aux circonstances en leur faisant violence. En une époque qu'il jugeait lui-même obsédée par le besoin d'atteindre la présence dans le présent, l'inaccessibilité de Mallarmé est son titre le plus sérieux à la pertinence sociale. Il n'y a aucune contradiction entre la nature circonstancielle de la plupart de ses écrits et son mépris pour l'immédiat. Mallarmé est peut-être aussi « activé par la pression de l'instant » que ses contemporains, mais il prive l'instant de son immédiateté. Car l'immédiateté est une erreur ontologique; l'immédiateté du sens pervertit la nature de la pensée. Son contraire n'est pas un sens « profond » ou non-contingent, mais le sens mobile d'une pensée qui ne cesse de proposer des suppléments aux objets qu'abolit son attention.

Mallarmé ne nous demande pas de lire des énoncés, mais des traversées d'intervalles. Sa présence historique et littéraire consiste en une sorte de danse invisible, une sorte de pas, à l'intérieur de son langage. Rien n'est plus facile ni plus vide, et rien n'est aussi difficile à lire. L'éminent critique américain Richard Poirier a récemment parlé de la littérature comme d'une « sorte d'écriture dont les clartés produisent des précipitations de densité ». Et il fait une distinction entre la densité et la notion plus familière, plus rassurante, de difficulté. La difficulté, écrit Poirier, « donne au critique l'occasion d'exhiber sa culture, de traiter la littérature comme s'il s'agissait de la communication d'un savoir plutôt que » d'une énigmatique manifestation de l'être. De plus, la difficulté apporte avec elle un héritage de justifications théoriques, historiques et culturelles; et, au cours de ce siècle, « on a fait de la difficulté l'inéluctable responsabilité sociale et politique de l'artiste ». C'est en effet par elle que le critique fait valider ses titres en préférant le Joyce d'*Ulysse* à celui de *Dubliners,* et en trouvant Ezra Pound plus digne d'attention que Robert Frost. Il va sans dire que Mallarmé ne manque pas de difficultés, mais l'apparente impénétrabilité de son œuvre nous a peut-être rendus moins sensibles à ce que nous pourrions appeler sa densité – c'est-à-dire à une certaine illisibilité qui a sans doute moins à voir avec un sens profond et caché qu'avec la dissolution du sens dans une voix qui refuse continuellement d'adhérer à ses énoncés.

Il n'y a, semble suggérer Mallarmé, rien d'important à dire; il n'y a peut-être que les stratégies que nous déployons pour éviter les pièges de la signification dans le langage. Si nous sommes arrêtés dans nos tentatives de lecture de Mallarmé, c'est bien moins par la nature hermétique de son œuvre (qui, bien sûr, peut être, et a été, forcée) que par les messages qu'il n'est jamais parvenu à transmettre. Je pense non seulement à ce fameux *Livre* jamais écrit, mais aussi aux légendaires Mardis de la rue de Rome. Ce que Mallarmé semble avoir fait avec un indéfinissable brillant au cours de ces soirées, c'est se mettre en position de celui qui reçoit, et solliciter la dévotion d'une touchante attention à des messages qui n'étaient jamais formulés. Mais c'était peut-être déjà beaucoup. Car il faut voir là un aspect modeste mais décisif de la redéfinition mallarméenne des attentes culturelles. Les disciples venaient rue de Rome pour se justifier dans leur fonction de disciple; mais ils étaient traités comme si cette justification n'avait d'autre fondement que la sociabilité créée par leur impression erronée que Mallarmé avait quelque chose à leur dire.

CHAPITRE II

Esthétique, sexualité

La sexualité existe-t-elle? Et, si elle existe, quel est son rapport avec le sexe?

On sait que ces questions ont été soulevées par Michel Foucault – non d'ailleurs dans l'intention essentielle, ni même nécessairement dans l'espoir d'y répondre, mais davantage dans le but de définir les bénéfices stratégiques qui résulteraient du seul fait de les poser. « Si la sexualité s'est constituée comme domaine à connaître, c'est à partir de relations de pouvoir qui l'ont instituée comme objet possible... » La sexualité serait donc « le nom qu'on peut donner à un dispositif historique : non pas réalité d'en dessous sur laquelle on exercerait des prises difficiles, mais grand réseau de surface où la stimulation des corps, l'intensification des plaisirs, l'incitation au discours, la formation des connaissances, le renforcement des contrôles et des résistances, s'enchaînent les uns avec les autres, selon quelques grandes stratégies de savoir et de pouvoir ». Cela posé, si, au cours des deux cents dernières années, « le sexe n'a pas cessé de provoquer une sorte d'éréthisme discursif généralisé », les secrets du sexe ainsi révélés n'en constituent pas pour autant l'objectif ultime dans le jeu du savoir et du pouvoir. Dans *la Volonté de savoir,* Foucault écrit : « La question de ce que nous sommes, une certaine pente nous a conduits, en quelques siècles, à la poser au sexe. » C'est-à-dire que la création de la sexualité et du sexe n'est, en un sens, rien d'autre que la stratégie de mise en œuvre d'un effort plus fondamental pour contrôler la définition de l'homme lui-même. D'où l'importance de moins en moins grande accordée dans l'œuvre de Foucault à certaines techniques sociales de domination et de discipline, et une tendance à généraliser l'histoire de la sexualité pour en faire « une généalogie du sujet dans les sociétés occidentales ». Le premier et le plus fondamental des pouvoirs exercés sur les individus est celui de leur propre interprétation d'eux-mêmes dans l'exercice de la confession. Une étude du réseau pouvoir-savoir doit passer dès lors par un démontage des « technologies du moi ».

Quelle est la position de Freud, et de la psychanalyse, dans l'histoire de ces technologies? Foucault nous rappelle combien Freud a peu innové : certains aspects de la théorie et de la technique psychanalytiques (et peut-être plus particulièrement la notion normative de progression psycho-sexuelle, et l'insistance, lors du traitement, sur l'exposition totale de la « vérité » de notre sexualité) ne font que remettre au jour des tactiques disciplinaires déjà mises en place au XVIe siècle dans les révisions de la pastorale catholique. On ne peut ni reprocher à Freud d'avoir inventé notre « dispositif de sexualité », ni lui accorder l'honneur d'avoir le premier rendu au sexe ce qui lui était dû; en réalité – et je cite la dernière page de *la Volonté de savoir* – « ... [Freud] relançait... avec une efficacité admirable, digne des plus grands spirituels et directeurs de l'époque classique, l'injonction séculaire d'avoir à connaître le sexe et à le mettre en discours. »

Cette relance n'est pourtant pas négligeable. Si le freudisme est incontestablement – du double point de vue de la théorie et de la pratique sociales – la forme moderne la plus répandue et la plus prestigieuse des techniques discursives de connaissance et de création de soi-même, il est d'autant plus intéressant de remarquer que Freud en arrive presque à détruire la technologie qu'il illustre si brillamment, et cela précisément en essayant de la rendre le plus explicite possible et de la fonder sur une épistémologie séculière. Les raffinements théoriques et thérapeutiques que Freud a apportés à notre civilisation confessionnelle sont inséparables d'une catastrophe épistémologique : l'impossibilité où se trouve Freud de définir la relation entre la sexualité et le sujet humain. Avec Freud, c'est tout le dispositif de la sexualité qui manque de s'effondrer dans un mouvement sans précédent d'auto-réflexivité.

« Manque de s'effondrer » : car la psychanalyse a, malgré tout, contribué à l'efficacité du dispositif, grâce à une certaine suppression de Freud – à la suppression d'un certain Freud – dans l'histoire du mouvement psychanalytique, suppression à laquelle je reviendrai au cours du dernier chapitre. Pour le moment, comment expliquer l'effet bénéfique – bénéfique surtout, comme nous le verrons tout à l'heure, pour une théorie des symbolisations culturelles – de ce qui m'apparaît comme une paralysie discursive – ou tout au moins un balbutiement discursif – au cœur du discours freudien?

L'essentiel de la position freudienne sur la sexualité se trouve dans les *Trois Essais sur la théorie de la sexualité*. Abordons ce livre par un problème de stratégie : celui de sa composition. Pourquoi un traité sur la sexualité humaine commence-t-il par les « aberrations sexuelles »? Le premier essai – qui comprend des sections sur l'homosexualité, le fétichisme, le voyeurisme et l'exhibitionnisme, le sadisme et le masochisme – peut être compris de deux manières tout à fait différentes. D'un côté, les aberrations en question n'ont en fait rien d'aberrant; elles perdent leur caractère « anormal » dès que Freud les replace dans une certaine histoire de la sexualité, dans ce que je vais appeler la perspective téléologique sur la sexualité. Cette perspective sera plus tard renforcée par la théorie des « phases » de la sexualité infantile dont elle finira même par devenir presque dépendante. Mais c'est là un développement relativement tardif dans la pensée de Freud. La section qui lui est consacrée dans le deuxième des *Trois Essais* n'a été ajoutée qu'en 1915. Freud semble avoir parlé pour la première fois d'une organisation prégénitale (la phase sadique-anale) dans l'article de 1913 sur « La prédisposition à la névrose obsessionnelle »; la phase « orale » ou « cannibale » n'apparaît qu'en 1915 dans l'édition des *Trois Essais* que je viens de mentionner, et la phase d'organisation « phallique » n'est ajoutée aux deux autres qu'en 1923. Ces « découvertes » semblent n'avoir eu que peu de rapport avec l'observation clinique des enfants. Les organisations prégénitales, nous dit Freud, ont été déduites des « inhibitions » et des « troubles » du développement vers une organisation génitale. « Normalement, l'enfant passe sans difficulté par les diverses phases de l'organisation sexuelle, sans que celles-ci puissent être décelées par autre chose que par des indices. Ce n'est que dans les cas pathologiques qu'elles s'accusent et deviennent facilement reconnaissables. » Les phases de la sexualité infantile normale ont donc été reconstruites à partir de l'analyse d'adultes dont la vie sexuelle manifestait des troubles pathologiques. La « vérification » clinique des phases infantiles de la sexualité ne pourra donc pas éviter d'être « guidée » par une théorie qui suppose déjà leur existence.

Mais, si la réalité de ces phases en tant qu'organisations historiquement distinctes paraît quelque peu problématique (et on connaît la critique lacanienne à leur égard), leur valeur stratégique pour une théorie générale de la sexualité humaine est inestimable. Une fois que les aberrations sexuelles sont reconnues non seulement comme appartenant à l'enfance, mais comme constituant ce que Freud appelle « une espèce de régime sexuel », elles perdent leur caractère aberrant et se révèlent être « des rudiments et des préformations d'une organisation des pulsions partielles » de la sexualité normale. La génitalité hétérosexuelle est la stabilisation dans un ordre hiérarchique des pulsions partielles. Dans cette perspective, les perversions adultes deviennent admirablement intelligibles : elles appartiennent à la pathologie des récits inachevés.

Seulement, cette version historique de la sexualité n'est qu'une moitié de l'histoire. Le début du troisième essai de Freud est une tentative intéressante et tortueuse pour définir la nature du plaisir et de l'excitation sexuels. Et, dès le départ, il s'avère que le but présumé de la sexualité est en discontinuité avec son histoire. Le plaisir de l'orgasme génital, écrit Freud, « culminant par son intensité, diffère par son mécanisme de ceux qui l'ont précédé. Il est tout entier amené par une détente ; c'est un plaisir reposant sur la satisfaction, et avec lui disparaît pour un temps la tension de la libido ». Étant donné les critiques qu'a reçues, chez Freud, la théorie énergétique du plaisir, il me semble important de rappeler que dans les *Trois Essais,* seul le plaisir génital est défini comme une décharge ou une baisse de tension. Du point de vue téléologique, Freud appellera « le plaisir provoqué par l'excitation des zones érogènes » *plaisir préliminaire,* et « le plaisir de l'émission des produits génitaux » *plaisir terminal.* Cette distinction est aujourd'hui familière, mais ce qu'on n'a peut-être pas suffisamment remarqué – une exception (exception, d'ailleurs, assez problématique) serait l'œuvre de Balint –, c'est ceci : puisque le plaisir soi-disant préliminaire (celui des diverses zones érogènes) reste, jusqu'aux « transformations de la puberté », indépendant du plaisir terminal, la distinction entre plaisir préliminaire et plaisir terminal équivaut à distinguer deux ontologies de la sexualité elle-même. Dans la conclusion des *Trois Essais,* Freud se plaint de « l'insuffisance de nos connaissances quant aux processus biologiques qui constituent l'essence » de la sexualité, et d'avoir pour cette raison été incapable d'expliquer de manière satisfaisante « les rapports existants entre l'excitation sexuelle et la satisfaction sexuelle [*eine genügende Aufklärung des Verhältnisses zwischem Sexualbefriedigung und Sexualerregung*] ». Mais cet aveu d'ignorance ne devrait logiquement s'appliquer qu'à l'ontologie de la sexualité infantile ou prégénitale. Dans le cas du plaisir terminal, il ne peut y avoir, strictement parlant, aucun rapport entre la satisfaction et l'excitation, puisque cette forme de plaisir consiste précisément dans l'extinction de toute excitation. Ce qui nous amène à nous demander si la fin du sexe, le but du sexe, ne serait pas aussi sa fin, sa disparition. Et, de fait, Freud lui-même – mais est-ce malgré lui-même? –, en discutant des difficultés de la psychanalyse à définir la sexualité, parle comme si la sexualité infantile était la sexualité tout court, comme s'il avait « oublié » le rôle préparatoire et subordonné qu'elle avait par rapport à l' « acte principal » de la sexualité humaine...

Il en va tout autrement – et de manière autrement problématique – quand Freud essaie de définir le plaisir des zones érogènes. « En considérant, écrit-il, le caractère de tension de l'excitation sexuelle, on est amené à se poser un problème dont la solution serait aussi difficile qu'importante pour l'interprétation des processus sexuels. » Le problème apparaît quand Freud maintient avec insistance que « quelles que soient les divergences d'opinion que nous trouvions dans la psychologie moderne... un sentiment de tension a toujours un caractère de déplaisir ». Le fait décisif est ici pour Freud « qu'un tel sentiment comporte un besoin de changement de la situation psychologique, ce qui est complètement étranger au plaisir ». Et pourtant, l'excitation sexuelle, doit-il quand même reconnaître, « sans aucun doute, est ressentie comme plaisir ». En fait, « même dans les manifestations préparatoires dans l'appareil génital, apparaît une sorte de satisfaction » avec la tension elle-même. Il faudrait d'ailleurs remarquer (c'est là une évidence qui n'a rien de négligeable) que la sexualité génitale, telle que Freud la définit, n'est pas entièrement gouvernée par le plaisir de la décharge. La génitalité est un régime sexuel double : elle comprend à la fois, contrairement aux autres phases sexuelles, le plaisir préliminaire et le plaisir terminal, l'excitation de la tension et la satisfaction de la décharge. Pour revenir à notre « problème » : comment, demande Freud, peut-on réconcilier le déplaisir de la tension avec le plaisir qu'elle provoque?

Ce n'est pas assez que la sexualité soit caractérisée par la production simultanée d'un plaisir et d'un déplaisir, elle manifeste à l'occasion un comportement encore plus bizarre. Freud remarque, au début du troisième essai, que la tension à la fois plaisante et déplaisante de la stimulation sexuelle cherche non pas à être évacuée, mais à être augmentée! Comme on le sait, Freud a généralement tendance à parler de l'excitation sexuelle comme si c'était une sorte de démangeaison, ou une envie d'éternuer. Mais, pour la sexualité qui précède la décharge, l'analogie avec la démangeaison ne s'applique plus. Nous nous grattons, après tout, pour mettre fin à la démangeaison; or nous serions maintenant – pour nous en tenir un peu plus longtemps à l'analogie – en présence d'une démangeaison qui ne demanderait rien de mieux que sa propre prolongation, ou même son intensification. Si, écrit Freud, vous touchez « l'épiderme du sein d'une femme » qui n'est pas excitée, « cet attouchement suffit à éveiller l'excitation sexuelle, qui appelle à son tour un surcroît de plaisir ». « Tout le problème », conclut-il, est que, « éprouvant le plaisir, on sollicite un plus grand plaisir ». La même question avait été posée de manière plus directe dans le second des *Trois Essais* quand, au cours de sa discussion de la sexualité infantile, Freud avait admis qu'il trouvait « quelque peu étonnant qu'une excitation, pour être apaisée, doive faire appel à une autre excitation appliquée au même endroit ». Comment comprendre cette manière exceptionnelle de traiter les stimuli, et ce désir de répéter et même d'intensifier une tension déplaisante? Que peut bien vouloir dire cette affirmation que, dans la sexualité, le plaisir est en quelque sorte distinct de la satisfaction, et qu'il est même peut-être identique à la douleur? Cela relèverait-il simplement d'une symptomatologie de la parole? Ou encore, et peut-être plus précisément, les difficultés du texte freudien renvoient-elles à la relation dysfonctionnelle entre notre corps et notre langage? De nouveau nous nous retrouvons dans cette dimension beckettienne du freudisme à laquelle je faisais allusion au début de ces analyses.

Une chose est certaine: quinze ans avant *Au-delà du principe de plaisir,* Freud est déjà préoccupé par une problématique de la répétition. Mais dans les *Trois Essais,* la

44

mystérieuse répétition (et même intensification) d'une expérience de déplaisir est explicitement décrite comme inhérente à la sexualité même. Freud semble presque sur le point de suggérer qu'au-delà du principe de plaisir on trouve – la sexualité... C'est, en tout cas, une répétition – ou ce qu'on pourrait peut-être décrire comme une stase insistante – qui bloque les tentatives freudiennes pour définir le sexuel. L'impossibilité de définir la sexualité semble inscrite dans l'acte même de la décrire. On n'arrive jamais, comme le reconnaît Freud, à l' « essence » de la sexualité ; à tout le moins celle-ci semblerait avoir un rapport un peu mystérieux avec le plaisir d'un déplaisir, ou avec le désir d'augmenter un plaisir déjà déplaisant, ou encore avec l'impulsion de se débarrasser d'un stimulus en le reproduisant...

Et nous ne sommes pas au bout de ces tentatives de répétitions. C'est, en fait, toute la perspective téléologique qui se trouve menacée quand Freud affirme, dans une remarque célèbre, que « trouver l'objet sexuel n'est, en somme, que le retrouver ». Ceux d'entre nous qui réussissent à passer le cap des phases de la sexualité infantile, qui parviennent à hiérarchiser sous la domination du génital les pulsions partielles de l'oralité et de l'analité, ne font que se retrouver – s'ils ont de la chance dans leurs choix d'objets ! – tout au début du processus. « ... L'enfant au sein de la mère, affirme Freud, est devenu le prototype de toute relation amoureuse. » La fin de l'histoire est donc déjà contenue dans son début ; le mouvement téléologique fait marche arrière au moment même où il atteint son but ; et le fil narratif de la sexualité finit par se refermer sur lui-même.

Retrouver un objet implique évidemment qu'il y ait eu, à l'origine, un objet. Mais rien, chez Freud, n'est moins certain que le statut de ce premier objet auquel nous restons si remarquablement fidèles. Jean Laplanche, dans des analyses essentielles auxquelles nous reviendrons ici plus d'une fois, a situé « la genèse de la sexualité » chez Freud dans ce qu'il qualifie comme « le temps du retournement sur soi », du « rebroussement auto-érotique ». De fait, au cours d'une discussion, dans le deuxième essai, sur la manière dont « l'activité sexuelle s'est tout d'abord étayée sur une fonction servant à conserver la vie », le sein de la mère, ou, plus exactement, l'« afflux du lait chaud » était présenté comme une cause accidentelle du fait que l'enfant découvre dans ses lèvres une zone érogène. De ce point de vue, retrouver un objet sexuel « originel » serait bien moins important que l'appropriation de n'importe quel objet capable de stimuler les lèvres de la même manière. L'enfant peut sucer sa langue, ses lèvres, et même, ajoute Freud, son gros orteil; et la personne dont la région labiale a une « sensibilité érogène » particulièrement développée deviendra plus tard, nous en dit encore Freud, « un amateur de baisers » qui « recherchera les baisers pervers [allusion, je suppose, à ce que l'anglais appelle *a French kiss*], et, devenu homme, il sera prédisposé à être buveur et fumeur ». Le pouce et l'orteil deviennent des zones érogènes secondes et inférieures; et Freud suggère de manière intéressante que si nous nous embrassons sur les lèvres, c'est en partie pour faire coïncider l'objet de notre désir avec la source de notre plaisir originel. L'importance du sein comme objet réel *ou* fantasmatique se trouve considérablement diminuée s'il faut imaginer, en sous-titre à la scène du baiser : « Dommage que je ne puisse pas m'embrasser moi-même! »

Le rôle ambigu d'un objet, qui ne cesse de disparaître et de réapparaître dans la notion freudienne de sexualité, peut nous aider à comprendre l'hésitation de Freud sur la place à accorder au voyeurisme, à l'exhibitionnisme, et surtout à la cruauté dans la vie sexuelle. Freud commence par affirmer que ces pulsions « poussent à rechercher, dès le début, d'autres personnes comme objet sexuel ». Elles « existent... dès l'enfance bien qu'elles soient alors indépendantes de l'activité sexuelle des zones érogènes ». Mais, à la page suivante des éditions de 1905 et 1910 des *Trois Essais,* Freud parle de certaines « influences mutuelles » entre « le développement de la sexualité et celui du voyeurisme et de la cruauté », influences « qui limitent l'indépendance présumée de ces deux pulsions ». Le même passage nous donne un aperçu du fonctionnement possible de ces « influences mutuelles » : « Les enfants qui se montrent particulièrement cruels envers les animaux et envers leurs camarades sont d'ordinaire, et à juste titre, soupçonnés de connaître une activité intense et précoce des zones érogènes... » La cruauté peut donc provenir d'une sexualité infantile intense – ce qui, nous l'avons vu, peut signifier qu'elle est dérivée de l'auto-érotisme. D'une certaine manière, la question perd tout son sens après 1920 : une note ajoutée à la section sur le sadisme et le masochisme dans le premier essai nous rappelle que l'enquête aboutissant à *Au-delà du principe de plaisir* avait conduit Freud « à attribuer... une place à part au... sadisme-masochisme, et à le détacher ainsi de la série des autres " perversions " ». Mais les hésitations, et même les confusions des *Trois Essais,* éclairent d'un jour pour ainsi dire anticipé le grand dualisme pulsionnel de 1920. A partir d'*Au-delà du principe de plaisir,* et jusqu'à ses dernières œuvres, Freud ne cessera d'insister (tout en accumulant des preuves qui vont en sens contraire) sur l'existence d'une destructivité *non érotique* – d'abord sous la forme d'une « pulsion de mort » opposée à Éros, et ensuite, de plus en plus, sous la forme de cette agressivité qui serait dérivée de la pulsion de mort et qui, comme on l'a déjà vu, sous-tend l'opposition de l'individu et de la civilisation dans *Malaise dans la civilisation.* Reste que, dans les *Trois Essais sur la théorie de la sexualité,* Freud place encore clairement la cruauté – plus spécifiquement, le sadisme et le masochisme – au cœur de la sexualité infantile. Son hésitation porte sur le statut précis de la cruauté dans la sexualité. S'agit-il d'une « pulsion partielle »? Est-elle distincte ou indépendante des activités sexuelles liées aux zones érogènes? Et, si elle est indépendante de ces activités, quelles sont les « influences mutuelles » qui la relient au développement sexuel?

Si Freud a des difficultés à placer ce qu'il avait d'abord conçu comme l'aberration sexuelle du sado-masochisme, c'est peut-être que son investigation l'a subrepticement conduit à une conclusion qu'il n'arrive pas à reconnaître, et qu'il n'avait certainement pas voulue. Se pourrait-il que cette manifestation exceptionnelle et marginale de la sexualité en constitue en fait l'élusive « essence » – ou, plus exactement, qu'elle soit la condition même de son émergence? « Il est facile de constater, écrit Freud dans la section sur les sources de la sexualité infantile,... que tous les processus affectifs ayant atteint un certain degré d'intensité, y compris le sentiment d'épouvante, retentissent sur la sexualité [*alle intensiveren Affektvorgänge, selbst die schreckhaften Erregungen auf die sexualität übergreifen*].* » Et deux pages plus loin : « Il se peut que rien d'important ne se passe dans l'organisme sans fournir une composante à l'excitation de la pulsion sexuelle. » Comme le suggèrent clairement les exemples donnés dans cette partie –

travail intellectuel, disputes verbales, lutte avec des camarades de jeu, voyage en chemin de fer –, tout, ou presque, peut faire l'affaire de la sexualité. La même idée est répétée dans le résumé qui conclut les *Trois Essais,* quand Freud parle de l'excitation sexuelle comme du « produit marginal [*als Neben-produkt*] d'un certain nombre de processus internes, pourvu que ceux-ci aient atteint un degré suffisant d'intensité, surtout quand il s'agit d'émotions fortes, même si celles-ci sont de nature pénible ».

Dans de tels passages, Freud semble s'approcher d'une position selon laquelle la tension plaisir/déplaisir inhérente à l'excitation sexuelle se produirait chaque fois que le champ normal des sensations corporelles est excédé, et que l'organisation psychique se trouve temporairement perturbée par des sensations ou des processus affectifs qui vont en quelque sorte « au-delà » du seuil compatible avec sa cohésion. « Toute activité, écrit Laplanche, toute modification de l'organisme, tout ébranlement est susceptible d'être la source d'un effet marginal qui est précisément l'excitation sexuelle au point où se produit cet ébranlement. » La sexualité serait ce qui est intolérable à la structure psychique. Dans cette perspective, le trait distinctif de l'enfance, me semble-t-il, serait *sa suscepti-bilité à la sexualité.* Le caractère pervers polymorphe de la sexualité chez l'enfant serait fonction de sa plus grande vulnérabilité aux effets d'ébranlement qui produisent la sexua-lité. La sexualité serait un phénomène particulièrement humain dans la mesure où sa genèse même dépendrait d'un décalage menaçant, dans notre enfance, entre la quantité de stimuli à laquelle nous sommes exposés et le développement des structu-res du moi capables de résister à ces stimuli, ou, dans les termes de Freud, de les lier. Le *mystère* de la sexualité réside dans le fait que nous ne cherchons pas seulement à nous débarrasser de son effet d'ébranlement, mais également à le répéter, et même à l'augmenter. Dans la sexualité, la satisfaction est inhérente au douloureux besoin de rechercher la satisfaction. Il ne s'agit donc pas de décider si la cruauté – ou, plus spécifiquement, le masochisme, fondement de toutes les formes de la cruauté – fonctionne indépendamment des zones érogènes, ni même de chercher les « influences mutuelles » auxquelles la cruauté et le développement sexuel seraient soumis. Il s'agit plutôt de reconnaître que la sexualité – du moins au niveau de son mode de constitution – est peut-être synonyme du masochisme. /≠ /≠ /≠

Je voudrais proposer ceci que, plus fondamentalement, *le masochisme sert la vie*. C'est sans doute uniquement parce que la sexualité est ontologiquement fondée sur le masochisme que l'organisme humain survit au décalage qui existe entre la période d'ébranlement par des stimuli et le développement au sein du moi des résistances et des structures de défense dont je parlais il y a un moment. Le masochisme serait la stratégie psychique grâce à laquelle nous parvenons à compenser en partie – nous verrons bientôt pourquoi je dis « en partie » – le malfonctionnement biologique de notre processus de maturation. Le masochisme en tant que modèle de la sexualité nous permet de survivre aux premiers stades de l'enfance. Les petits animaux font déjà l'amour; les petits humains produisent la sexualité. Le masochisme, loin de n'être qu'une aberration individuelle, serait un caractère héréditaire résultant d'*une conquête de l'évolution*.

C'est ainsi que, à côté de l'argument téléologique, un tout autre raisonnement suit son cours dans les *Trois Essais sur la théorie de la sexualité*. Insistant, et pourtant à peine visible, ce deuxième argument en arrive presque à dissoudre la spécificité de ce qui pour Freud devait caractériser l'objet de son analyse. « L'expérience nous apprend », écrit-il dans le premier essai, que dans les cas que nous considérons comme anormaux « il existe entre la pulsion sexuelle et l'objet sexuel une soudure que nous risquons de ne pas apercevoir dans la vie sexuelle normale, où la pulsion semble déjà contenir par elle-même son objet. Cela nous engage à dissocier, jusqu'à un certain point, la pulsion et l'objet ». L'effort pour « retrouver » un objet originel serait en fait une tentative de retour à un stade où nul objet n'était privilégié, où la sexualité pouvait naître de n'importe quelle source (nous pouvons être excités par un sein, un pouce, une balançoire, une pensée...) et où, finalement, n'importe quelle partie du corps pouvait devenir zone érogène. « ... Dans les cas de voyeurisme, c'est l'organe visuel qui joue le rôle de zone érogène », écrit Freud dans le premier essai; « quand la douleur et la cruauté entrent en jeu, c'est l'épiderme » qui fonctionne comme zone érogène – l'épiderme qu'il va jusqu'à qualifier de « zone érogène par excellence ». Et dans une note ajoutée en 1915, nous trouvons ceci : « Après plus amples réflexions, et l'emploi d'autres observations, on en est arrivé à attribuer la qualité d'érogénéité à toutes les parties du corps et aux organes internes. » L'investigation de la sexualité humaine conduit à couper le sexuel de toute spécificité quant à l'objet ou à l'organe. Nous désirons ce qui nous ébranle, et cette expérience d'ébranlement est, semble-t-il, dénuée de tout contenu spécifique – ce qui pourrait être notre seule manière de dire que l'expérience en question ne peut être dite, qu'elle appartient à ce champ non-linguistique qu'est la biologie humaine. La psychanalyse est une tentative sans précédent pour traduire cette expérience dans des termes psychologiques, pour la contraindre à la parole et insister sur le fait que le langage peut être affecté, touché par certaines vibrations de l'être qui nous transportent en deçà de toute conscience.

Si la sexualité humaine – qu'il ne faut pas confondre avec ces épisodes de contacts charnels qui constituent pour nous, comme pour les animaux, le sexe – est, comme je l'ai suggéré, une aberration fonctionnelle de l'espèce, alors les débuts incomplets et avortés de notre vie sexuelle en constituent et en épuisent toute l'essence. L'ontologie de la sexualité est indépendante de son développement historique. La sexualité se manifeste à la fois dans des actes sexuels et dans des actes présumés non-sexuels, mais dans tous les cas l'excitation qui la constitue est la même, qu'il s'agisse de la plus tendre copulation entre deux adultes, de la plus cinglante correction infligée par un maître sans pitié à son esclave infiniment docile, ou de la masturbation du fétichiste transi par le délicat escarpin qu'il caresse avec ardeur. La sexualité est le substrat intemporel du sexe, bien que l'argument téléologique des *Trois Essais* représente une tentative pour réécrire la sexualité comme une histoire (et comme histoire) en la ré-inscrivant dans les structures d'une spécificité d'objet et d'organe. L'œuvre de Freud est une récapitulation textuelle de l'existence du corps psychanalytique. Les phases de la sexualité infantile et leur aboutissement dans le complexe d'Œdipe sont là pour apporter une intelligibilité narrative à un texte qui autrement serait tourmenté, si l'on peut dire, par des réseaux d'énonciations à la fois tautologiques et mutuellement exclusives. De la même manière, le moi finira par domestiquer, par structurer et « narrativiser » ces vagues d'excitation qui tout à la fois menacent et protègent les premières années de la vie humaine. C'est ce processus qui est décrit et illustré dans le corps textuel du discours psychanalytique – *in corpore freudiano.*

Sommes-nous revenus à l'impasse de *Malaise dans la civilisation*? Après avoir indiqué au premier chapitre comment il serait possible de déconstruire l'opposition posée par cette œuvre entre l'individu et la civilisation, nous en sommes peut-être arrivés ici à la renforcer. Car ce n'est pas sur des identifications dont les vicissitudes restent quelque peu anecdotiques que nous avons fondé la destructivité masochiste, mais sur l'ontologie de la sexualité elle-même. D'après ce que j'ai décrit comme le contre-argument des *Trois Essais* – argument qui irait à l'encontre du point de vue téléologique –, la sexualité ne serait pas originellement un échange d'intensités entre les individus, mais un état de rupture dans nos négociations avec le monde, une condition dans laquelle l'autre ne fait que déclencher en nous le mécanisme d'ébranlement d'une jouissance masochiste.

C'est dans cette perspective que nous pouvons le mieux comprendre l'importance exceptionnelle de la généalogie du masochisme telle que Freud la décrit dans l'essai de 1915 « Pulsions et destins des pulsions ». En essayant d'élucider le mystère de la sexualité sadique – c'est-à-dire le fait que nous puissions être excités sexuellement par la souffrance des autres, ce qui est sans doute plus difficile à expliquer que notre simple désir de les dominer –, Freud est amené à suggérer que le spectacle de la douleur chez les autres stimule en nous une représentation mimétique qui provoque une excitation sexuelle. Le sadisme est défini dans « Pulsions et destins des pulsions » comme une identification masochiste à la souffrance de l'autre. Le plaisir sexuel fait son apparition dans la théorie freudienne, note Laplanche, « dans la position souffrante »; et il suggère que la représentation fantasmatique est elle-même un ébranlement, et qu'elle « est donc lié(e) de très près, en son point d'origine, à l'apparition de la pulsion sexuelle masochique ». C'est ainsi que la structure limitée et marginale de la sexualité sado-masochiste serait en fait une sorte de version explicite (et mélodramatique) de la constitution de la sexualité elle-même. Par sa marginalité, le sado-masochisme ne ferait rien de moins

51

qu'isoler, et même rendre visible, les fondements ontologiques du sexuel.

La pratique sado-masochiste est l'application littérale d'un masochisme qui, comme j'en ai émis l'hypothèse, pourrait être apparu par nécessité adaptative. Le masochisme, solution évolutive à un défaut de notre processus de maturation, serait reproduit sous une forme non-adaptative – une forme qui, cette fois, conduirait à l'extinction plutôt qu'à la survie. Sur ce point, la scandaleuse marginalité du Marquis de Sade peut être tenue pour exemplaire. Sade dramatise l'argument implicite dans « Pulsions et destins des pulsions » selon lequel la sexualité mimétique est une sexualité sado-masochiste. Dans *les Cent Vingt Journées de Sodome*, il en arrive presque à suggérer que ce n'est pas *parce qu'*ils nous excitent que nous avons des rapports sexuels avec les autres, mais que l'excitation est la *conséquence* de l'acte sexuel, et non pas sa cause. Et ce parce qu'elle est essentiellement une répétition, chez le libertin, de l'agitation qu'il provoque dans le corps de l'autre. Pour citer les termes cocasses dans lesquels Sade résume les conceptions physiologiques du duc dans *les Cent Vingt Journées* : « Il sentit qu'une commotion violente imprimée sur un adversaire quelconque rapportait à la masse de nos nerfs une vibration dont l'effet, irritant les esprits animaux qui coulent dans la concavité de ces nerfs, les oblige à presser les nerfs érecteurs, et à produire d'après cet ébranlement ce qu'on appelle une sensation lubrique. » Il semblerait que le chaînon manquant soit ici le moyen de transport de la « commotion » de l'autre à la « vibration » du libertin. Mais celle-ci ne peut être que l'agitation provoquée par la perception de celle-là. La « vibration », qui se manifeste par des signes reconnaissables d'excitation sexuelle, est le spectacle de la commotion chez l'autre. Avant de pouvoir être ressentie, l'excitation sexuelle doit être représentée, ou, plus exactement, elle *est* la représentation d'une commotion aliénée. Le sadisme pourrait logiquement être la conséquence nécessaire d'une telle conception de la sexualité. Si la stimulation érotique dépend de la perception ou du fantasme d'une commotion chez d'autres personnes, il devient logique de mettre les autres dans un état de commotion maximale. De plus, entre ici en jeu ce que l'on pourrait appeler la logique du sein caressé : encore plus clairement que dans le cas cité par Freud – celui d'une femme qui, au lieu de faire cesser l'excitation produite par une main sur son sein, cherche à l'augmenter –, nous trouvons ici illustré le rythme accélérateur de ce processus de répétition qui est inhérent à la sexualité. Chez Sade, l'augmentation des vibrations érectiles du libertin est directement proportionnelle à celle de la souffrance observée chez sa victime.

Sade nous ramène – et nous ramène même brutalement – à une question soulevée à la fin du premier chapitre : y a-t-il un mode de discours culturel qui puisse, au moins partiellement, dissiper la violence de notre sexualité ? Ou, pour préciser un peu cette question à la lumière de notre lecture des *Trois Essais* : comment l'esthétique pourrait-il être conçu comme une perpétuation et une élaboration des tensions de la sexualité masochiste ? J'essaierai non pas exactement de répondre à cette question, mais plutôt de proposer – le plus souvent assez brièvement, et de manière discontinue – certains modèles artistiques (Mallarmé, Henry James, Sade, Sade revu par Pasolini dans le film *Salò*, et des bas-reliefs assyriens) d'une érotisation anti-narrative de la conscience.

Commençons par l'illustre cas décrit par Freud dans son étude sur Léonard de Vinci : celui d'un insatiable intérêt et d'une incessante mobilité visuels. Le « problème » de Léonard de Vinci – son instabilité, sa tendance à laisser ses travaux inachevés, son inaptitude à mener à bien la plupart des projets qu'il concevait – est, selon Freud, la conséquence de l'absence de son père pendant ses premières années. Personne n'a été là pour réprimer chez l'enfant cette curiosité sexuelle qui, même quand elle sera plus tard sublimée en curiosité scientifique, conservera le caractère compulsif, répétitif et irrésolu, d'une interrogation enfantine. Que signifie cette interrogation ? La curiosité sexuelle de l'enfant est une forme de désir. Pour Léonard de Vinci, « trop tôt mûri sexuellement, nous dit Freud, par les baisers passionnés de sa mère [*von ihr zur sexuellen Frühreife emporgeküsst*] », ses investigations scientifiques porteront toujours la marque de sa précocité sexuelle. La tendresse excessive de sa mère déterminera sa destinée, une destinée qui, en effet, se caractérise par un extraordinaire degré d'indétermination et de mobilité dans la pensée. L'amour excessif de la mère initie l'enfant à la sexualité, ce qui signifie que, par la voie de la séduction, elle l'éveille au traumatisme ontologique d'une activité fantasmatique. Léonard, par exemple, cherchera à posséder sa mère en imitant la manière dont elle l'a autrefois possédé. Son homosexualité est selon Freud l'expression déguisée d'une hétérosexualité précocement intensifiée : il continue à jouir de l'amour de sa mère en adoptant sa position et en aimant ue jeunes garçons comme elle l'a aimé lui-même. Si le fantasme du vautour a une telle importance dans le texte de Freud, c'est moins parce qu'il indique une « vérité » sur Léonard de Vinci que parce qu'il illustre de manière exemplaire les incessants changements de position qui caractérisent la sexualité traumatique. Dans ce fantasme, Léonard est celui qui donne le sein et celui qui le reçoit; il est à la fois embrassé et nourri par sa mère; c'est son propre pénis que le vautour-mère enfonce dans sa bouche; et l'oiseau lui-même représente à la fois la mère mystérieuse et aimante, et l'enfant qui réalise, en vol, la satisfaction sexuelle de son désir d'être sexuellement satisfait. Dans ces fantasmes d'ébranlement des identités, Léonard ne peut être situé que dans un inlassable besoin de se représenter expérimentalement comment, par qui, et par quoi, il a été ébranlé.

Freud semble ainsi se rapprocher d'une position selon laquelle mettre fin à cette mobilité entraînerait la fin de la sexualité elle-même. Mais, sur la question des changements de position, Freud lui-même semble continuellement changer de position. Les investigations infantiles sont présentées sous un jour à la fois nuisible et bénéfique; dans le cas de Léonard de Vinci, elles sont responsables aussi bien de l'abandon d'un grand nombre de ses projets que du caractère indécidable de ses figures picturales. L'incapacité de Freud à conclure sa propre investigation apparaît encore plus clairement dans le rôle étrangement indécis qu'il attribue au père de Léonard. Il parvient à proposer tour à tour, en essayant à peine de les réconcilier, l'ensemble des possibilités suivantes : l'exemple du père contribue au développement d'une créativité virile, mais est également responsable de l'indifférence de Léonard à l'égard de son art (celui-ci imiterait, à l'égard de son travail, l'indifférence du père envers son fils); d'un autre côté, la résistance vis-à-vis du père permet dans la production du fils une grande indépendance artistique, en même temps que la régression au temps de la séduction maternelle est pour lui un retour à la source de son plus grand art; ce qui n'empêche pas l'absence d'inhibition d'origine paternelle à l'égard de la curiosité excitée par l'amour de la mère d'avoir un effet finalement négatif : l'abandon par Léonard de son art et la multiplication de ses explorations inachevées du « corps maternel » de la nature.

La turbulence théorique de l'essai sur Léonard de Vinci pourrait bien avoir sa source dans la résistance de Freud à l'égard des implications de son modèle traumatique (son modèle maternel) de la sexualité. Le baiser traumatisant qui éveille chez l'enfant une sexualité précoce produit immédiatement une libération d'énergie fantasmatique, énergie qui met en branle, comme le montre Freud, un jeu de représentations immensément productif. La persistance d'une tentative d'identification à une mère mystérieuse, traumatisante et « excessivement » aimante, a amené Léonard de Vinci, devenu adulte, non seulement à multiplier ses investigations scientifiques, mais également à peindre des figures dont le pouvoir tient à leur troublante indétermination, ou, plus exactement, à leur suspension en deçà du seuil, pour ainsi dire, d'une formalisation nette des identités sexuelles. Le modèle traumatique de la sexualité qui dérive de la mère conduit ainsi Freud à concevoir la symbolisation culturelle comme un prolongement de la sexualité fantasmatique plutôt que comme un substitut répressif. En d'autres termes, ce modèle apporte une base génétique à une conception selon laquelle la sublimation serait coextensive à la sexualité ; elle serait une appropriation et une élaboration des pulsions sexuelles, plutôt qu'une forme particulière de renoncement à ces pulsions.

Laplanche, dans son travail sur la sublimation, a attiré l'attention sur une remarque étonnante, faite comme par parenthèse dans l'essai sur Léonard de Vinci : dans la sublimation, une partie du désir sexuel échappe à la « violente poussée de refoulement sexuel » qui met fin à la période d'investigation sexuelle infantile, et se transforme « dès l'origine [*von Anfang an*] en curiosité intellectuelle ». Cette énergie libidinale, suggère Freud, n'est plus assujettie aux « complexes primitifs de l'investigation sexuelle infantile », ce qui signifie que les intérêts intellectuels au service desquels elle est maintenant attachée ne sont pas des formations de substitution. Dans cette forme de sublimation, *la sexualité fournirait donc à la pensée son énergie, mais sans en définir les termes.* Autrement dit, nous serions en présence *d'une version non-référentielle de la pensée sexualisée.* Où cela nous mène-t-il? Jusqu'à présent, la critique psychanalytique de l'art (y compris celle de Freud) s'est montrée particulièrement habile à reconnaître les formes d'expression sexuellement référentielles – c'est-à-dire essentiellement l'expression symptomatique. Nous pourrions dès maintenant tourner notre attention vers les moments ou les modes du discours culturel (ceux que l'on considère généralement comme « esthétiques ») dans lesquels un investissement libidinal de la conscience est rendu manifeste – comme on l'a déjà vu dans les textes de Freud lui-même – par une mobilité dans la répétition, ou bien par une sorte de mouvement d'arrêt qui, dans la pensée, rend l'énonciation impuissante ou inopérante.

Je reviendrai plus bas sur cette possibilité. Pour le moment, remarquons l'hésitation de Freud à accepter les conséquences psychiques et sociales du flottement ontologique et sexuel qu'il décrit dans son étude sur Léonard de Vinci. Il en résulte un va-et-vient quelque peu incohérent entre le traumatisme de l'amour maternel et une version paternelle de la vie sexuelle, artistique et scientifique, de Léonard. Le rôle qu'y joue le père pourrait nous amener à conclure que le père œdipien est, dans l'œuvre de Freud, responsable non seulement du refoulement du désir pour la mère, mais aussi, en un sens, de celui de la sexualité elle-même. Dans les fantasmes œdipiens de l'enfant mâle, le phallus paternel n'est pas simplement placé entre l'enfant et la mère pour faire obstacle à leur union sexuelle. Plus profondément, le phallus permet à l'enfant de conclure son investigation de l'essence maternelle (finalement, il « sait », par exemple, que le père a castré la mère); surtout, il garantit la séparation des identités de la mère et de l'enfant, et en arrive donc à lier la radicale mobilité de la sexualité, initiée plus tôt par l'amour traumatisant de la mère : à la lier ou à y mettre fin.

Le triangle œdipien immobilise les représentations. Si la sexualité se constitue d'abord comme masochisme, l'immobilisation des structures fantasmatiques ne peut avoir qu'un dénouement violent. Du fait que la représentation oppressive, excessive, déstabilisatrice et excitante doit être évacuée, l'origine masochiste de la sexualité implique que, dans sa logique extrême, le plaisir sexuel ait une fin explosive. Le masochisme est à la fois soulagé et comblé par la mort; et mettre fin au jeu des représentations condamne peut-être le fantasme à la

ESTHÉTIQUE, SEXUALITÉ

jouissance suicidaire d'une pure et simple annihilation. La violence de la structure œdipienne n'est pas seulement celle d'une rivalité imaginaire entre le père et l'enfant; en réprimant la mobilité fantasmatique, le père œdipien donne naissance à une sexualité auto-destructrice, à un masochisme secondaire qui menace à la fois l'individu et la civilisation. Freud semble avoir eu du mal à différencier clairement la sublimation et le refoulement; cependant, dans l'essai sur Léonard de Vinci, il propose un type de sublimation selon lequel les formes culturelles devraient être conçues comme le résultat d'une tentative manquée, mais immensément productive, pour reproduire les fantasmes sexuels, comme la prolifération métamorphique des ondes de choc fantasmatiques. On pourrait, à partir de là, imaginer une révision de la théorie psychanalytique dans laquelle la figure paternelle ne jouerait plus le rôle d'une instance prohibitive, mais représenterait la possibilité d'une socialisation de l'amour traumatique initié au sein de la mère. Le père aurait pour fonction de reproduire cet amour en le généralisant, au lieu de le répudier. Une telle désœdipianisation du père dans la mythologie psychologique de notre culture pourrait également marquer une étape importante dans la direction d'un recul de la paranoïa comme structure sociale dominante. En littérature, par exemple, la fiction de Stendhal pourrait être étudiée à la fois comme une corroboration de la nature intrinsèquement paranoïde de la sexualité œdipienne et comme un étonnant effort pour recréer le père, dans le milieu du salon stendhalien, comme agent d'une généralisation affectueuse et ironique de l'amour maternel.

Ce n'est pourtant pas sur Stendhal que je voudrais conclure, mais sur un exemple plus proche de l'essai sur Léonard de Vinci en ceci que, comme dans l'œuvre de Freud, il y est question du rapport entre des sublimations esthétiques et des investigations inachevées. Je veux parler de *l'Après-Midi d'un faune* de Mallarmé, dans lequel l'incertitude du faune quant à l'existence des nymphes, loin de le rendre impuissant, a pour effet d'intensifier sa puissance érotique et esthétique. Nous allons examiner un passage dans lequel on a vu, avec raison, une description de la sublimation artistique, et ce que j'aimerais proposer à propos de ces vers, c'est que leur intérêt se trouve dans la suggestion que la sublimation n'est pas un dépassement, mais une sorte de prolongement du désir, qui prend la forme productive d'une récession de la conscience :

Mais, bast! arcane tel élut pour confident
Le jonc vaste et jumeau dont sous l'azur on joue :
Qui, détournant à soi le trouble de la joue,
Rêve, dans un solo long, que nous amusions
La beauté d'alentour par des confusions
Fausses entre elle-même et notre chant crédule ;
Et de faire aussi haut que l'amour se module
Évanouir du songe ordinaire de dos
Ou de flanc pur suivis avec mes regards clos,
Une sonore, vaine et monotone ligne.

Tout en s'en détournant, le jonc du faune reproduit, supplémente et module la sensualité. Et pourtant le « solo long » de son rêve musical n'est pas la « ligne » fictive d'une musique qui pourrait être lue comme la distillation esthétique des fantasmes sensuels d'un dos ou d'un flanc de nymphe. Le solo rêve de produire cette distillation. Autrement dit, l'art du faune n'est pas la reproduction métamorphique de lignes corporelles dans des lignes musicales, mais la suspension ou l'ajournement de cette distraction esthétique dans la conscience de son anticipation. La possibilité de traiter l'art comme un équivalent symbolique, ou un déguisement des pulsions sexuelles, est donc tenue en échec par l'agitation « symbolisante » de la conscience elle-même. Plus précisément, la conscience sublimante qui est décrite par le faune fonctionne sur le mode de ce qu'on pourrait appeler la supplémentarité accélératrice. Et la conséquence de ce processus d'accélération est que les équivalences symboliques ne sont jamais rien de plus que des étapes dans le mouvement de supplémentarité de la pensée. Le faune suggère que la réflexion de ses fantasmes érotiques dans sa musique est le projet mobilisateur de son art, plutôt que son véritable sens. Cette réflexion peut bien être le but de son art, mais sa pratique de l'art dépend d'une suspension de ce but, d'un glissement de sens entre la « ligne » lourdement significatrice évoquée dans le dernier vers et l'espace où le rêve s'est en fait déjà soustrait à l'immobilité d'un tel sens, en le révoquant par anticipation.

Après s'être demandé s'il ne désirait qu'un rêve, le faune se prend à rêver, dans le long solo de sa musique, que la nature est charmée par sa confusion entre elle-même et ce rêve. Pendant son « lent prélude », il avait vu « ce vol de cygnes, non! de naïades ». Mais se souvenir d'elles, c'est se demander s'il les a vraiment vues. Or, douter de leur réalité, c'est désirer les peindre, et les peindre, c'est revenir à ses désirs, et confondre une nouvelle fois ce qu'il désire avec ce qui existe peut-être vraiment. Dans ce cercle presque complet, qui semble ramener le faune à son point de départ musical, mais qui en réalité lui permet d'échapper au piège d'un art réaliste pour accéder à celui d'une heureuse et ironique mobilité, le faune « révise » sa séduction par son propre art, en incluant dans cet art l'évocation d'une nature charmée par les confusions crédules de son chant. En un sens, cet enjôlement de la nature est la réplique ironique que le faune donne à sa propre naïveté. C'est la réserve qui sera ensuite occultée dans le récit de son agression sexuelle contre les nymphes, la conscience virtuellement annihilatrice du fait que cette attaque n'est qu'une pure illusion. Et pourtant rien n'est annulé. La violence érotique qui revient au « souvenir » du faune est quelque peu mitigée par notre propre incertitude sur où et qui est au juste le faune. Il est celui qui commet la violence, mais représente aussi la nature charmée par le vide de cette violence. L'ironie de *l'Après-Midi d'un faune* est additive plutôt que corrosive. Elle enlève le faune aux nymphes tout en le leur renvoyant, et loin d'épuiser les ressources de son désir, elle rend les objets de ce désir productivement indéterminés.

L'Après-Midi d'un faune pratique la sublimation comme mode de l'ironie mallarméenne. Mallarmé nous encourage à concevoir la sublimation non comme un mécanisme par lequel le désir serait dénié, mais comme une activité auto-réflexive par laquelle le désir multiplie ses représentations. Cela, assurément, ne se fait pas sans une certaine purification de la pulsion désirante, mais c'est une purification que nous devrions comprendre comme un processus d'abstraction plutôt que de désexualisation. La brutalité du faune est modulée par le doute qui plane sur sa représentation; son attaque est à la fois niée et rejouée par le récit critique et analytique qui nous la décrit. Quand nous lisons que les nymphes essaient d'échapper aux bras du faune « Pour fuir ma lèvre en feu buvant, comme un

CHAPITRE III

Répétez : après moi

Descendons pour commencer aux Cercles des Manies, de la Merde et du Sang. Car c'est là, dans la transposition des *Cent Vingt Journées de Sodome* que Pasolini a donnée avec le film *Salò*, que nous trouverons, de manière bizarre et inattendue, notre prochain modèle d'une discours civilisé qui reproduit en même temps qu'il la dissipe la sauvagerie de notre sexualité. Sade – je l'ai déjà suggéré – narrativise la jouissance de cet ébranlement que Freud appelle la sexualité. Il illustre une tendance de l'art à évoquer cette jouissance dans une narration dont la violence n'est pas seulement anecdotique, mais également intrinsèque, structurale. Comme beaucoup d'œuvres érotiques, *les Cent Vingt Journées* progressent d'anecdotes relativement anodines à des orgies de violence sexuelle. Mais Sade remarque que ce n'est pas là l'ordre dans lequel ses personnages vivent les expériences dont il nous fait le récit. L'œuvre est organisée de façon à produire un certain type de progression narrative qui est en elle-même une stimulation érotique. En effet, les histoires soigneusement construites de Mme Duclos et de ses collègues produisent sur les libertins un effet aphrodisiaque. Nous pourrions dire que le but du livre est de créer son propre récit. Si le récit de Sade ne reproduit pas la « vraie » simultanéité de la fellation, de la flagellation et de la coprophagie, il reproduit par contre un rythme qui, plus que le contenu en aventures sexuelles de chaque journée, est caractéristique de la sexualité sadienne. Ce qui définit ce rythme est une progression calculée vers des explosions orgasmiques, et c'est là la progression narrative la mieux appropriée à l'origine masochiste de la sexualité. Car, si la sexualité se constitue comme masochisme, sa logique extrême ne peut être qu'une fin explosive; le masochisme est à la fois soulagé et comblé par la mort.

Mais dans l'essai de Freud sur *Léonard de Vinci* et dans *l'Après-midi d'un faune* de Mallarmé, nous avons déjà pu entrevoir la possibilité d'autres modes d'appropriation esthétique. Selon la théorie de la sublimation esquissée par Freud dans son *Léonard de Vinci*, différentes formes de productions culturelles pourraient mettre à profit ce que j'ai désigné comme un usage non référentiel de l'énergie libidinale. Au lieu d'historiciser les origines autodestructrices de la sexualité dans un récit masochiste (c'est la solution sadienne), certaines figures androgynes des tableaux de Léonard de Vinci, par exemple, reproduisent la mobilité des chocs fantasmatiques initiés par l'amour « excessif » de la mère. Et, dans le poème de Mallarmé, le faune célèbre l'impossibilité où il se trouve d'authentifier l'existence des nymphes en érotisant sur un mode ironique le pseudo-souvenir de ses prouesses sexuelles avec elles. En passant de Pasolini à Freud, et enfin à quelques sculptures anciennes, nous allons nous intéresser de plus près à la tension qui existe entre la narrativité et la répétition : comment les répétitions mobiles d'un texte érotisé en arrivent-elles, à force de résistance, à subvertir la logique de la narrativité – logique qui tout à la fois domestique la sexualité et hypostasie sa violence ?

Pasolini dé-narrativise Sade en adoptant ce qui apparaît comme une sympathie presque sans réserve pour le projet sadien *. En dépit des changements qu'il apporte à l'original dans son traitement des *Cent Vingt Journées de Sodome* (principalement, en transposant l'histoire dans une enclave fasciste du nord de l'Italie vers la fin de la Seconde Guerre mondiale), sa fidélité à Sade est frappante. Pasolini réussit presque à faire de la violence sadique un spectacle agréable (avec les à-côtés divertissants qu'offrent la danse, la musique et la peinture, le film nous offre un véritable petit festival artistique), et il semble en cela assumer un extraordinaire degré de complicité avec ses libertins fascistes. Mais, en même temps, Pasolini prend ses distances par rapport à ses personnages sadiens, alors même qu'il semble adhérer sans réserve à leurs projets. Il ne s'agit pas ici d'une distanciation brechtienne : la relation de *Salò* au texte littéraire est un rapport de passivité

---

* J'ajoute ici que les quelques remarques que je vais faire sur *Salò*, et plus tard sur l'art assyrien, font partie d'un travail élaboré avec Ulysse Dutoit.

subversive, un rapport non pas de révolte, mais de répétition, d'ironie, de reprise – un rapport, pourrait-on dire, de subversion masochiste.

Pasolini reproduit fidèlement ce dont il veut se séparer. Le dessein duplicateur de son film est indiqué par plusieurs répétitions curieuses à l'intérieur du film lui-même, qui manifeste ainsi une sorte d'attachement mimétique à l'égard de ses propres procédés. L'air joué pendant que les deux garçons dansent à la fin du film, par exemple, est celui qui accompagne le générique du début. De même, Pasolini a placé une statuette représentant une femme mettant ses bas devant une glace dans la pièce même où Signora Maggi – une des narratrices – s'habille avant de descendre commencer son récit. L'objet se reflète dans la glace, et la scène qu'il représente est répétée par Signora Maggi qui s'arrête pour ajuster ses bas tout près du miroir. Finalement, la pianiste qui se suicide en sautant dans la cour par une fenêtre ouverte « illustre » l'anecdote de Signora Castelli, dans laquelle on brutalise des filles pour les faire passer par une fenêtre et tomber dans une chambre de torture. Plus exactement, le saut de la pianiste fait allusion à l'histoire que raconte Signora Castelli, mais les deux événements ne sont, si l'on peut dire, qu'imparfaitement symétriques. L'un évoque l'autre, mais avec une différence troublante – à peu près comme le strabisme du Président nous rappelle la symétrie du visage humain par cela même qui en viole les lois : le déplacement comique d'un œil.

Pasolini exploite le potentiel de vertigineuse passivité qu'offre le cinéma (son aspiration à n'être qu'un simple enregistrement), et, après s'être abandonné à toutes sortes de dédoublements dociles et de symétries pacificatrices, il crée un type de reconnaissance non imitatrice qui *est* sa propre distance par rapport à Sade et à la violence sadique. Mais l'objet de cette reconnaissance n'est rien d'autre que le plaisir même de se laisser conduire en spectateurs. Comme si la docilité avec laquelle nous « suivons » les sadiques de *Salò* comportait en elle-même une tendance à la connaissance réflexive, un mouvement de repli qui consiste simplement à reconnaître cette même docilité. Ainsi, la distance que Pasolini prend par rapport à son sujet se manifeste par une indulgence exceptionnelle à son égard ; c'est en les reproduisant plutôt qu'en les « critiquant » ou en les « opposant », qu'il s'éloigne de certaines images et de

63

certains styles. La démarche cruciale, peut-être inévitable et presque imperceptible, par laquelle l'art reconnaît et même signale ses propres procédés (démarche plus modeste et plus radicale qu'une prise de conscience théorique, et que l'on exprimerait en anglais par le terme *self-acknowledgement*), paralyse la progression dramatique et dissout les points de référence dans l'ironie d'une répétition.

Les libertins sadiens sont, eux aussi, passés maîtres dans le plaisir d'une participation mimétique au spectacle, mais chez eux ce mimétisme est conçu pour les débarrasser des « vibrations » mêmes qu'ils recherchent en torturant les autres. L'appropriation de ce que le duc, dans *les Cent Vingt Journées,* appelle la « commotion » de l'autre a pour fonction chez Sade d'amener un dénouement qui met fin à l'excitation : le grand critère par lequel tous les actes sont mesurés dans *les Cent Vingt Journées* est la « perte du foutre ». La sexualité chez Sade est essentiellement une progression vers cette perte, vers l'exploitation orgasmique en quoi se confirme le succès d'une esthétique limitée par la rigueur démente de la programmation qui caractérise l'ordre narratif sadien. Dans le système sadien de machisme phallique, rien n'est considéré avec plus de mépris que les orgasmes faibles de mâles peu favorisés par la nature. Le sadisme est un érotisme esthétisé, mais son esthétique se limite aux mouvements contrôlés d'une progression narrative. *Salò,* par contre, multiplie les séductions esthétiques, et, avec justesse, néglige presque l'orgasme. Pasolini a tout simplement laissé tomber tout ce foutre dont on est si fier chez Sade... Il fait de nous des spectateurs plus complaisants et moins délibérés que ses personnages sado-fascistes. En un sens, ceci veut dire que nous ne nous fatiguons jamais d'être spectateurs; mais c'est justement le caractère illimité de notre esthétisme qui constitue la perspective morale sur le sadisme offerte par *Salò.* La frivolité salutaire qui nous permet de continuer à *regarder* nous amène à une prise de conscience de ce regard même, d'abord comme partie prenante de notre inévitable implication dans la violence du monde, et ensuite comme mobilité insatiable grâce à laquelle nos appropriations mimétiques du monde se poursuivent toujours *ailleurs,* et pour cette raison ne requièrent jamais comme satisfaction finale la destruction d'une partie du monde.

RÉPÉTEZ : APRÈS MOI

Le masochiste déploie toute sur son passage. Répétition (handwritten annotation)

Le rapport entre Sade et Pasolini pourrait être compris comme une relation entre deux types de discours : d'un côté, un argument philosophique que la représentation romanesque ne fait que re-présenter sous la forme de scènes traumatiquement persuasives, de l'autre, un discours auto-réflexif qui, dans des termes filmiques, répète et détourne la violence narrative par le biais de ses reconnaissances formelles. L'œuvre de Freud dans laquelle nous trouvons la meilleure approximation de cette tension entre un récit philosophique et une sorte de répétition esthétisante est *Au-delà du principe de plaisir* – œuvre qui cherche aussi, et d'une manière singulièrement tourmentée, à situer le plaisir de chaque type de discours.

Le titre de l'ouvrage annonce sa perversité majeure. Car, loin de proposer un instinct qui supplanterait le principe de plaisir ou aurait une quelconque priorité sur lui, le livre est en fait l'exploration la plus révélatrice, et la mieux déguisée, jamais faite par Freud de la nature du plaisir et de son rapport avec la sexualité. Dès le début, l'ouvrage nous alerte de manière oblique sur son projet secret : le premier chapitre suggère en effet que l'on ne peut aller « au-delà du principe de plaisir » qu'en aveugle, puisqu'en réalité la psychanalyse ne sait pas ce qu'est vraiment le plaisir. « Malheureusement, écrit Freud, à ce sujet » – c'est-à-dire « la signification des sensations, pour nous si impératives, de plaisir et de déplaisir » – « on ne nous offre rien d'utilisable. Il s'agit là de la région de la vie psychique la plus obscure et la moins accessible... » Donc, poursuit-il, adoptons l' « hypothèse la plus lâche » sur le plaisir. Selon cette hypothèse – résultat d'une perspective « économique » sur les processus mentaux –, le plaisir et le déplaisir sont en rapport avec « cette quantité d'excitation présente dans la vie psychique qui n'est liée en aucune façon : relation telle que le déplaisir correspond à une élévation et le plaisir à une diminution de cette quantité ». Définition qui présuppose elle-même une conception plus générale de l'activité psychique, selon laquelle « l'appareil psychique a une tendance à maintenir aussi bas que possible la quantité d'excitation présente en lui ou du moins à la maintenir constante. Ce n'est là », semble-t-il, « qu'une autre formulation du principe de plaisir », qui, écrit toujours Freud, « se déduit du principe de constance »; ce qui ne l'empêche pas d'ajouter que le principe de constance a été lui-même « inféré à partir des faits qui nous ont forcé à admettre le principe de plaisir ».

Ce début est aussi troublant que crucial. On ne sait pas où, ni sur quoi, on commence. C'est peut-être par scrupule scientifique que Freud évite soigneusement d'identifier positivement le plaisir à une réduction de tension, mais du point de vue de la précision, on ne gagne assurément rien à dire que le plaisir est « en rapport avec [*in Beziehung mit*] » la quantité d'excitation psychique et qu'il « correspond » [le verbe en allemand est bien *entsprechen*] à une diminution du niveau d'excitation, ou encore à affirmer dans une phrase qui semble tourner en rond que, tandis que « le principe de plaisir " se déduit " du principe de constance [*das Lustprinzip leitet sich aus dem Konstanzprinzip ab*] », ce dernier a été « inféré [*erschlossen*] » des faits qui avaient conduit à la découverte du premier. Que veulent exactement dire, ici, les termes : être « en rapport avec », « correspondre », « se déduire », et « inférer »? Les concepts fondamentaux d'*Au-delà du principe de plaisir* sont caractérisés par une sorte d'indéfinissable proximité à quelque chose d'autre. Et on remarquera que la sexualité n'a pas encore été mentionnée; mais quand elle fait sa première apparition, quelques pages plus loin dans ce même chapitre, c'est avec un nouvel exemple de définition trans-référentielle : l'instinct sexuel adopte le principe de plaisir comme « mode de travail [*Arbeitsweise*] ». Ainsi, pour connaître la sexualité, il faudrait se référer à son mode de fonctionnement, c'est-à-dire au principe de plaisir; pour connaître celui-ci, il faut se référer au principe de constance dont il se déduit; et pour connaître le principe de constance, on se référera à des faits qui nous ramènent de manière plus contraignante au principe de plaisir (puisque ce sont ces faits-là qui ont « forcé » Freud à adopter ce principe).

Ayant à peine affirmé l'écrasante prépondérance sur la vie psychique d'une expérience qu'on ne peut définir (celle du plaisir), Freud commence déjà, avant la fin du premier chapitre, à énumérer des exceptions à cette domination. Après avoir passé en revue, au cours du premier chapitre, quelques positions psychanalytiques qui sont, nous prévient-il, déjà familières, Freud se prépare, dans les chapitres deux et trois, à présenter « un nouveau matériel » qui modifiera « la position de notre problème » de manière à mettre en question la souveraineté du principe de plaisir. Au cours de ces chapitres, il apporte à l'appui d'une telle remise en question trois preuves : c'est sur leur force et leur véracité que va reposer toute la validité scientifique de sa thèse. Or, ces preuves se révèlent extraordinairement fragiles. Et c'est ici, devrais-je ajouter, que ma lecture d'*Au-delà du principe de plaisir* est la plus proche de celle de Jacques Derrida, qui, dans « Spéculer - sur " Freud " », insiste sur l'absence de progrès dans l'argumentation de ces premiers chapitres, sur l'échec auquel se heurte la tentative de développer une thèse, et sur la réapparition du principe de plaisir dans ces cas qui pourtant étaient censés le dépasser.

Dans les trois cas que discute Freud, il est question d'une apparente compulsion à répéter une expérience déplaisante. Freud mentionne tout d'abord les rêves de patients souffrant de névroses traumatiques à la suite d'un accident ou d'une expérience de guerre ayant entraîné une menace pour leur vie. Ces rêves ramènent « sans cesse le malade à la situation de son accident, situation dont il se réveille avec un nouvel effroi ». La vie onirique de ces malades semble donc réfuter la théorie freudienne selon laquelle le rêve serait le gardien du sommeil et la réalisation d'un désir. Par la suite, Freud accordera à cet exemple un poids considérable, mais, ici, on a du mal à comprendre pourquoi il est même mentionné. La discussion des névroses traumatiques ne dure qu'une ou deux pages, après quoi Freud propose de laisser ce « thème obscur ». Ce qui ne l'a pas empêché d'écrire, dans la dernière phrase du passage en question, que, pour éviter d'abandonner la thèse du rêve comme réalisation d'un désir, il faudrait peut-être « invoquer les énigmatiques tendances masochistes du moi [*wir müssten der rätselhaften masochistischen Tendenzen des Ichs gedenken*] ». Rien, effectivement, ne semblerait s'imposer avec une plus grande nécessité. Au premier chapitre, Freud avait déjà mentionné, mais comme entre parenthèses et avec quelque obscurité, le cas où « le principe de plaisir déborde irrésistiblement le principe de réalité au détriment de l'ensemble de l'organisme », un cas qui peut se produire « dans le moi lui-même ». Ce qui pourrait évidemment être exprimé en termes de « tendances masochistes » au sein du moi – les rêves propres aux névroses traumatiques pouvant alors apparaître comme des indices particulièrement précieux de la dominance du principe de plaisir alors même que le moi semble manifester des tendances autodestructrices.

La deuxième preuve avancée par Freud – tirée cette fois d'un jeu d'enfant – n'est guère plus satisfaisante. Il s'agit, comme on sait, de l'un des passages les plus sur-interprétés de toute l'œuvre de Freud, et ce n'est pas sans hésitation que j'ajoute ma propre contribution à la masse d'exégèse déjà oppressive qui entoure, et menace d'étouffement, l'exemple d'un garçon d'un an et demi qui représente les absences et les retours de sa mère en jetant une bobine de bois attachée à un fil par-dessus le bord de son berceau, ce qui la fait temporairement disparaître, puis la fait reparaître à sa vue en tirant sur la ficelle. La disparition de la bobine s'accompagne d'un cri dans lequel Freud et la mère de l'enfant (qui est aussi la fille de Freud) reconnaissent le mot allemand signifiant « parti » *(Fort),* et sa réapparition est accueillie chez l'enfant, par « un joyeux *Da* » (« voilà »). Du point de vue de l'investigation de tendances qui se situeraient au-delà du principe de plaisir, plus primitives que lui ou indépendantes de lui, le seul aspect frappant de ce jeu est le fait que l'enfant en répète la première partie – le départ ou la disparition – « bien plus souvent que l'épisode entier avec sa conclusion et le plaisir qu'elle procurait ». Comment expliquer ce fait?

La première réponse de Freud est que l'enfant transforme un rôle passif en un rôle actif, et que ses efforts dans ce sens « pourraient être mis au compte d'une pulsion d'emprise qui affirmerait son indépendance à l'égard du caractère plaisant ou déplaisant du souvenir ». La deuxième interprétation que Freud donne de la préférence de l'enfant pour la partie affligeante de son jeu est une variante de la première plutôt qu'une véritable alternative. Faire disparaître l'objet est maintenant présenté comme une manière qu'a l'enfant de se venger de sa mère « qui était partie loin de lui; son action, poursuit Freud, aurait alors une signification de bravade : " Eh bien, pars donc, je n'ai pas besoin de toi, c'est moi qui t'envoie promener! " ». Ceci ressemble évidemment beaucoup à une manifestation de la pulsion d'emprise, mais le désir de dominer la situation plutôt que de s'y soumettre passivement est maintenant devenu inséparable d'un désir de vengeance. C'est-à-dire que le besoin de maîtrise s'est chargé d'affect; il comprend ce qui ne peut être interprété, me semble-t-il, que comme un plaisir à la fois sadique et masochiste. L'enfant éprouve le plaisir d'imaginer la mère endurant elle-même la douleur de la séparation qu'elle lui avait originellement infligée. Ce qui équivaut à dire que la vengeance, dans ce cas, passe nécessairement par la souffrance de celui qui se venge ; en faisant disparaître sa mère, l'enfant se prive de sa présence tout autant qu'il la prive de la sienne propre. Seulement, la souffrance de l'enfant est devenue inséparable de deux sources de plaisir : sa représentation de la douleur de sa mère, et ce qui m'apparaît comme la satisfaction narcissique d'exercer un tel pouvoir. En réalité, il n'y a donc pas ici de véritable séquence, mais une seule et unique représentation satisfaisante : celle d'une séparation qui est à la fois douloureuse à la mère et à l'enfant. En d'autres termes, maîtrise et auto-punition sont simultanées ; le fantasme d'omnipotence et d'autonomie (c'est d'un même coup que l'enfant contrôle les mouvements de sa mère et se passe d'elle) est inséparable d'une répétition de la douleur.

Un raisonnement très curieux commence ainsi à prendre forme. L'investigation freudienne a pour objet apparent un type énigmatique de répétition, mais cette investigation elle-même, au niveau de ses propres procédés narratifs, prend à son tour la forme énigmatique, et à première vue non-productive, d'une répétition. Je dis « à première vue non-productive », car un argument, en fait, est bien en train d'être élaboré, mais qui, au lieu de nous amener « au-delà du principe de plaisir », conduit en réalité à une redéfinition ou à une extension de ce principe. En alignant l'un après l'autre différents types de preuves (empruntés à la vie familiale normale et à des cas graves de névroses de guerre), Freud se trouve apparemment contraint de défendre, par une sorte de répétition, la position que le titre même de son livre promettait de contester – position selon laquelle, pour revenir à la première phrase du chapitre initial, « le principe de plaisir règle automatiquement l'écoulement des processus psychiques ». On pourrait même dire que pour la première fois, dans l'œuvre de Freud, le mot « plaisir » commence à perdre son sens ordinaire pour fonctionner comme un concept psychanalytique. Tous les retours au plaisir qui ponctuent les trois premiers chapitres d'*Au-delà du principe de plaisir,* retours faits au nom d'un effort pour démontrer les limitations de son emprise, ont en réalité pour effet de redéfinir le mot tout en le dissolvant dans ses proliférations référentielles.

Comme si ce mot scandaleusement vague ne pouvait cesser de renvoyer à ce qui devrait lui être le plus étranger – ce concept même de destructivité qui sera plus tard censé lui faire perdre sa souveraineté. Ainsi le texte de Freud est-il dès le début travaillé – un peu comme le serait un champ – par une association entre le plaisir et des tendances, provenant du moi, à une auto-agression pouvant même aller jusqu'à l'auto-destruction : association qui finira par être simultanément reconnue et refoulée, et que nous rencontrons d'abord sous la forme d'une espèce de contre-argument à la fois non-reconnu et inadmissible.

L'argumentation fait un crucial pas en avant – toujours non reconnu et toujours inadmissible – avec la « preuve » du troisième chapitre. Cette dernière pièce à conviction est en réalité une nouvelle version d'un argument avancé au cours du premier chapitre, et elle vient donc compliquer encore davantage le réseau déjà serré des quasi-répétitions dans *Au-delà du principe de plaisir*. Freud nous donne maintenant comme exemple la compulsion de répétition, lors du transfert analytique, d'expériences qui sont non seulement incapables de causer du plaisir sur le moment, mais « qui même en leur temps n'ont pu apporter satisfaction, pas même aux motions pulsionnelles ultérieurement refoulées ».

Nous sommes censés voir, dans cet exemple, quelque chose de très différent du cas mentionné plus tôt, celui où des expériences originellement agréables provoquent du déplaisir quand elles reviennent à la conscience du sujet après avoir été refoulées. Mais, au vrai, dans ce chapitre trois, Freud décrit la vie sexuelle infantile d'une manière qui devrait nous ouvrir les yeux sur la nature problématique de toute distinction entre le plaisir et le déplaisir – du moins entre le plaisir et le déplaisir sexuels. Je devrais, bien sûr, remarquer que la sexualité est de nouveau réapparue dans le texte : les tensions pulsionnelles qui sont réactivées au moment du transfert analytique sont en effet les tensions non-libérées de pulsions *sexuelles*. Freud écrit : « La floraison précoce de la vie sexuelle infantile est destinée au déclin parce que les désirs y sont incompatibles avec la réalité et parce que l'enfant n'a pas atteint un stade de développement suffisant. Elle trouve sa fin dans les circonstances les plus pénibles, au milieu de sentiments profondément douloureux. » Il y a à ce fait, suggère-t-il, de nombreuses raisons : l'impossibilité pour l'enfant d'obtenir tout l'amour qu'il désire, l'incapacité de mener à une conclusion satisfaisante les recherches sexuelles, la jalousie des frères et sœurs, l'impossibilité de faire soi-même des enfants, les punitions dont il est l'objet, et les exigences toujours plus sévères de l'éducation.

Génétiquement parlant, la sexualité serait donc inséparable d'une expérience d'échec; en d'autres termes, les possibilités de satisfactions pulsionnelles dans l'enfance ont toujours été, et ceci dès le début, inséparables d'une réalité à laquelle elles ont fini par succomber : celle de la douleur. La sexualité naît au mauvais moment, mais elle *est,* précisément, ce que ce mauvais moment déclenche. C'est le phénomène même de la sexualité humaine qui, au niveau de sa constitution, doit être compris comme une sorte d'ébranlement psychique, comme une menace pesant sur l'intégrité et la stabilité du moi – menace à laquelle seul le masochisme, conquête de l'évolution, nous permet peut-être de survivre. Le troisième chapitre d'*Au-delà du principe de plaisir* traduit l'ontologie masochiste du sexuel que nous avons trouvée dans les *Trois Essais sur la théorie de la sexualité* en des termes quelque peu anecdotiques (Freud énumère en effet toutes les difficultés auxquelles se heurte la sexualité infantile), mais, malgré cette dégradation de l'ontologique dans le contingent, la conclusion est la même : la sexualité est indissociable du masochisme. Les conflits pénibles qui accompagnent la sexualité infantile, loin d'amener à sa simple extinction, contribuent en fait à sa continuité et à sa force. Nous ne serions donc pas en présence d'une séquence : sexualité, conflit, extinction, mais d'une possibilité toute différente, selon laquelle conflits, oppositions et échecs seraient au contraire responsables de l'intensification nécessaire à la sexualisation des processus mentaux. La compulsion de répéter des expériences présumées déplaisantes, et par conséquent refoulées, pourrait donc être comprise comme une tendance permanente, de la part du moi, à re-sexualiser sa structure – re-sexualisation qui serait alors mise en œuvre, tout autant que les résistances auxquelles son ébranlement ne pourrait que donner lieu, au nom du plaisir.

La deuxième partie d'*Au-delà du principe de plaisir* peut être lue comme une tentative, de la part de Freud, pour échapper aux conclusions vers lesquelles l'entraînaient les « preuves » introduites dans la première. Quand on arrive au chapitre cinq, la compulsion de répétition (dont nous avons pu comprendre les manifestations comme des désirs de répéter une excitation masochiste) se trouve promue par Freud au niveau d'une force inexplicable, qu'il décrit comme « démoniaque ». Elle a maintenant un « caractère pulsionnel » qu'elle n'a acquis que par l'insistance de Freud sur son obscurité. Bien plus : du seul fait qu'elle est devenue pulsionnelle, la compulsion de répétition change la définition de ce qu'est une pulsion. Ayant commencé par être les signes d'une exception possible au principe de plaisir, les caractéristiques de la compulsion de répétition deviennent les conditions préalables de tout comportement pulsionnel – réalisant par cette volte-face l'harmonie entre la répétition et le plaisir. Mais, dans le mouvement même de sa promotion, la répétition a changé de nature : elle est passée, pour ne prendre que cet exemple, du besoin qu'avait un enfant de répéter l'excitation satisfaisante d'une vengeance auto-punitive tournée contre sa mère, à une tentative de retour à la quiétude de l'état inanimé qui aurait précédé toute excitation.

Dans notre discussion des *Trois Essais,* nous nous étions approchés d'une position selon laquelle cette répétition serait inhérente à la logique de la sexualité elle-même puisque, comme le remarquait Freud avec perplexité, la sexualité peut « apaiser » ou diminuer un stimulus en le répétant, ou même en l'intensifiant. Mais, dans *Au-delà du principe de plaisir,* Freud soumet la notion de répétition à une opération violente pour arriver à proposer dans la pulsion de mort *un masochisme non-sexuel,* un masochisme dont a été radicalement extirpée la vertu excitatrice de la douleur. Ainsi, avec une saisissante circularité, l'effort pour maintenir le plus bas possible le niveau de tension psychique – effort dans lequel le début du premier chapitre nous avait invités à voir l'activité même du principe de plaisir – nous est maintenant présenté, sous sa forme pulsionnelle, comme le but même de notre quête de quelque chose qui se situerait « au-delà » du principe de plaisir. Et c'est à la dernière page du dernier chapitre que Freud finira par énoncer ce qui était déjà contenu, dès les premières pages du livre, dans la définition du plaisir : « Le principe de plaisir semble être en fait au service des pulsions de mort. »

Les aléas de cet itinéraire tortueux amènent un moment Freud à se demander si les instincts d'auto-préservation du moi ne seraient eux-mêmes rien de plus que « des pulsions partielles destinées à assurer à l'organisme sa propre voie vers la mort ». Mais, ajoute-t-il avec ce qu'il est tentant de comprendre comme une nuance de détresse, « il ne peut en être ainsi ». Il y a, rappelle-t-il peut-être pour son propre bénéfice autant que pour le nôtre, les pulsions sexuelles, et il semble maintenant clair que l'opposition posée depuis longtemps entre les pulsions du moi et les pulsions sexuelles va se trouver renforcée, avec ce nouvel ouvrage, par l'idée que « les premières [poussent] vers la mort, les secondes vers la continuation de la vie... »

Dès sa formulation, l'opposition en question se heurte pourtant à des difficultés, et en premier lieu parce qu'il faut tenir compte d'une découverte faite à peine quelques années plus tôt : celle du narcissisme, c'est-à-dire de la nature libidinale du moi lui-même. Ainsi voyons-nous le moi, harassé de toute part, devenir l'hôte à la fois du principe de réalité, des instincts d'auto-préservation, du principe de plaisir, de la pulsion de mort et finalement de la sexualité. Comment, dans ces conditions, peut-on maintenir l'opposition entre pulsions du moi et pulsions sexuelles? « Si, comme l'écrit Freud, les pulsions d'auto-conservation sont elles aussi de nature libidinale, il n'y a peut-être absolument pas d'autres pulsions que libidinales. » Voici le moi propulsé d'un monisme à un autre, de l'hégémonie des pulsions de mort à l'hégémonie des pulsions sexuelles. A ce moment exceptionnellement critique, nous aurions pu nous attendre à un effondrement des dualismes freudiens et à une redéfinition de la sexualité comme équivalente à la mort, ou, plus exactement, à l'hypothèse d'une identité entre la sexualisation de la conscience et sa déstabilisation, voire son éclatement.

Mais c'est précisément cela que Freud ne peut admettre, et dans un des passages les plus remarquables de toute son œuvre, nous le voyons réaffirmer : « Notre conception était dès le début *dualiste* et elle l'est encore aujourd'hui de façon plus tranchée... » Le mode de pensée dualiste est d'abord rétabli dans sa position privilégiée par l'assertion qu'« il faudrait que nous soyons capable de... mettre en évidence » des instincts nonlibidinaux dans le moi, bien que Freud soit obligé d'admettre que la psychanalyse a jusqu'alors été incapable de produire un seul exemple de la pulsion de mort, c'est-à-dire d'isoler dans le moi une pulsion qui ne soit pas libidinale. Mais le moment capital vient avec le deuxième argument. Pour sauver la sexualité de la proximité contaminatrice de la mort, Freud va inopinément assimiler la sexualité au pouvoir unificateur d'Éros, réussissant ainsi à la domestiquer et à répudier le courant de pensée plus puissant et plus radical qui, dans son œuvre, associe la sexualité à des intensités déstabilisatrices qui n'ont, en fait, rien à voir avec la reproduction de l'espèce et l'union des sexes. Mais, même dans ces conditions, le dualisme vie-mort reste fragile. La tendance des pulsions sexuelles à la préservation de la vie est qualifiée de « conservatrice », de même que la pulsion de mort dont la fonction est pour ainsi dire de « préserver » un état ayant précédé la vie. De plus, en invoquant la théorie du désir sexuel exposée par Aristophane dans *le Banquet* de Platon, Freud en arrive à soutenir qu'Éros, comme la pulsion de mort, exprime un besoin instinctuel de revenir à un état de choses antérieur. Au terme de cette savante manœuvre, les pulsions sexuelles en viennent à cohabiter au sein d'un moi sexualisé avec les pulsions de mort non-libidinales dont elles semblent presque dériver, et dont elles ne sont qu'une pâle copie. L'identité entre le plaisir et la douleur ainsi que le lien profond entre la sexualité et la destruction se trouvent ainsi dissimulés, par ce qu'on pourrait décrire comme une simple analogie à l'intérieur d'une opposition fondamentale, analogie qui réduit la sexualité à ne plus être qu'une nouvelle manifestation de la pulsion de stase.

Ce qui a été refoulé de la spéculation freudienne dans la deuxième moitié du texte, c'est la productivité de la sexualité masochiste. La possibilité d'exploiter l'effet d'ébranlement de la sexualité pour maintenir la tension d'une conscience érotisée, dénarrativisée et mobilisée, a été abandonnée, ou rejetée, au profit d'une conception du plaisir qui n'en fait plus que la réduction de toute tension et l'évacuation de toute excitation. La matière inanimée avait à peine reçu les attributs de la vie, soutient explicitement Freud, qu'elle cherchait déjà à les éliminer. On se souvient que, dans les *Trois Essais sur la théorie de la sexualité,* Freud s'était senti incapable d'expliquer de manière satisfaisante « les rapports existant entre l'excitation sexuelle et la satisfaction sexuelle ». En 1920, cette incapacité est le point de départ d'une nouvelle direction, de première importance, dans la théorie psychanalytique. Freud s'engage dans cette nouvelle direction au moment précis de sa réflexion où nous le voyons sur le point d'adopter sa position la plus radicale sur « les rapports ... entre l'excitation sexuelle et la satisfaction sexuelle ». Les essais de 1914 et de 1915 « sur le narcissisme » et « Pulsions et destins des pulsions », ouvraient la voie, me semble-t-il, vers une formulation plus explicite de la position déjà ébauchée dans les *Trois Essais,* c'est-à-dire vers une conception du moi libidinalisé qui serait celle d'un moi extatiquement ébranlé. Mais, comme nous l'avons vu, la destructivité et la libido sont maintenant rigoureusement séparées par le dualisme des pulsions de vie et de mort, de même que, dans « Le problème économique du masochisme » de 1924, le masochisme primaire sera soigneusement distingué d'un masochisme « érogène » qui sera censé en découler (et sera donc secondaire).

Au-delà du principe de plaisir est le point de départ et la célébration d'un courant qui, dans la pensée psychanalytique, cherche à expulser ou à détourner le plaisir sexuel, sauf à le narrativiser dans cette version téléologique que sont les phases de la sexualité infantile, ou à le subordonner à cette psychologie générale à laquelle aspire la « *ego psychology* » américaine. Chez Freud lui-même, la démarche la plus lourde de conséquences dans cet effort pour normaliser la psychanalyse sera sans doute la structuration du sujet humain proposée dans la topique de 1923, structuration essentiellement romanesque, que nous examinerons, dans notre dernier chapitre, à travers une étude des stratégies allégorisantes dans *le Moi et le Ça.*

La force d'*Au-delà du principe de plaisir* ne se distingue pas de la radicale impuissance de ses thèses, des formes logiques de son argumentation. En d'autres termes, cette impuissance est celle d'une logique textuelle explicite qui ne parvient pas à prendre forme – ou d'un argument qui se trouve « dé-formulé » par une force corruptrice cachée dans son développement. Chaque étape de l'argument de Freud renie le plaisir en ne cessant d'y adhérer; elle abolit le plaisir par ce que je ne peux

75

désigner que comme une reproduction annihilatrice. Freud nous a appris à concevoir ce processus par lequel la pensée se pense comme perte dans des termes moins abstraits, et même à l'envisager comme déterminé par la pression du corps sur la conscience. Dans *l'Interprétation des rêves,* il avait écrit : « La pensée n'est après tout que le substitut d'un désir hallucinatoire; ... seul un désir peut mettre en marche notre appareil mental. » Si la pensée se constitue originellement en tant que désir, la simple activation de l'appareil psychique est déjà pour lui une menace dans le sens où toute tentative de reproduction des conditions d'un plaisir passé désoriente, déplace et surcharge l'attention mentale. De ce point de vue, la sexualité n'est pas un hypothétique plaisir de nature purement corporelle, mais plutôt, et depuis le début, le signe de l'impossibilité où se trouve l'esprit de rendre compte de l'expérience du corps, ou de trouver des termes qui lui soient adéquats. Le désir fantasmatique serait alors l'activité par laquelle l'esprit tente de reproduire ses propres faillites fonctionnelles.

La sexualité serait donc foncièrement opposée à cet état de repos psychique auquel Freud finit par réduire le plaisir. Ce qui implique que le travail du développement mental consiste à lier les agitations dont nous venons de parler, à dé-sexualiser les mouvements de la conscience. Je voudrais suggérer que ce processus de liaison a pour fonction de re-stabiliser la pensée, et ce pour lui permettre précisément de produire sans disruptions excessives le type d'argument narratif que Freud manque si souvent de mener à terme. La liaison de la pensée par l'ordre narratif est la répression du mode d'opération fantasmatique, répression dont le discours philosophique est peut-être traditionnellement tributaire. Si Freud a contribué à rendre un tel discours immensément problématique, c'est moins par les théories réductrices qu'il a proposées sur ses sources que par l'échec de ses propres tentatives pour le reproduire. A propos d'*Au-delà du principe de plaisir,* Derrida parle de mouvements textuels qui ne correspondent à aucun modèle philosophique ou scientifique : « un " domaine " s'ouvre, écrit-il, où l'inscription ... d'un sujet dans son texte... est aussi la condition de la pertinence et de la performance d'un texte ». On pourrait également dire que ce qui se produit dans *Au-delà du principe de plaisir,* pour s'en tenir à cet exemple, est l'invasion de la progression narrative par une forme excitée et déplacée de la compulsion de répétition. Cette répétition se caractérise par un mode de production non narratif; au lieu de faire avancer le raisonnement vers quelque chose qui se trouverait au-delà du principe de plaisir, elle fait ressortir combien les termes mêmes de l'argument (à commencer par les dualismes plaisir/douleur et vie/mort) sont inadéquats aux phénomènes qu'il cherche à décrire.

Plus précisément, l'argument n'est pas autre chose que ce phénomène de répétition déjà « refoulé » ou lié. Le processus de déformation ou de dé-liaison que nous avons suivi dans le texte vient curieusement justifier cette imprécision des définitions que j'avais indiquée dans le premier chapitre. Les catégories linguistiques de plaisir, réalité, sexualité et mort ne peuvent, dans le meilleur des cas, que « correspondre à », être « déduites » ou « inférées » de certains types d'insistance dans la conscience, insistance que l'articulation linguistique a pour fonction même de manquer. Et il nous faut peut-être reconnaître dans ce qu'on appelle de manière nécessairement imprécise le « langage littéraire » l'intrusion silencieuse, insistante et productive dans le langage d'un texte, de ces impossibles tentatives de reproduction. Ces tentatives ne peuvent trouver leur « traduction » verbale que dans des événements tels que le glissement du mot « plaisir » dans le texte de Freud, la localisation indéterminée de la sexualité dans le conflit instinctuel entre la vie et la mort.

Le caractère non-référentiel du langage n'indique pas la finalité du signifiant linguistique, mais est plutôt fonction de l'inaccessibilité du réel à ce qui peut être signifié. Le texte littéraire attire peut-être notre attention sur les mouvements du réel dans les interstices de l'énonciation verbale. La littérature déjoue la fonction communicative du langage; elle engage à l'interprétation tout en rendant le langage impropre à l'interprétation. Elle nous force à prendre conscience de la densité des mots, non comme fonction de leur richesse sémantique, mais comme signe de leur inadéquation à la mobilité d'un sens qu'ils ne peuvent contenir. Et rien n'est peut-être plus singulier que l'effet politiquement salutaire de cette prise de conscience. Ce n'est pas tant que la littérature nous aide à raffiner notre usage de la langue en amenant à une plus grande précision linguistique, ni même qu'elle restaure les mots à leur fraîcheur sémantique en les débarrassant d'une accumulation de clichés.

Plus radicalement, la littérature subvertit tout projet de signification dans le langage, et peut-être par-dessus tout les projets de précision dans la signification. Elle devrait donc nous aider à résister aux desseins coercitifs que recèlent toujours plus ou moins de tels projets. La fonction sociale de la littérature – sa fonction critique – réside dans le pouvoir qu'elle a de démystifier la force d'un argument, et par là même la prétention de tout argument à la vérité. En déclenchant dans un texte une mobilité qui déstabilise la signification, la voix silencieuse et insistante de l'auteur dément cette sécurité dans l'énonciation par laquelle nous pouvons si facilement être séduits, et possédés.

Nous finirons ce chapitre comme nous l'avons commencé, avec une œuvre d'art d'une considérable brutalité, une œuvre dans laquelle, comme dans *Salò*, une forme de violence qui est peut-être inhérente à la narrativité se trouve à la fois exacerbée et contrariée par une certaine violence formelle. Je veux parler des bas-reliefs majestueux et souvent brutaux des palais assyriens de Ninive et de Nimroud. Dans ces bas-reliefs, et en particulier dans ceux qui proviennent des règnes d'Assur-Nasirpal II, au IXe siècle avant J.-C., et d'Assurbanipal, au VIIe siècle, l'histoire assyrienne devient essentiellement le spectacle d'une extraordinaire puissance. Rarement, à ce qu'il semble, l'art a-t-il servi l'histoire ou, plus précisément, un dessein politique particulier avec une telle suffisance. L'atmosphère de célébration, l'évidente délectation avec laquelle la défaite, l'humiliation et le massacre des ennemis de l'Assyrie sont représentés, ainsi que la profusion des détails sanglants dans les scènes de batailles et de chasse, sembleraient à la fois confirmer le jugement des historiens, qui voient dans les Assyriens un peuple intensément nationaliste, impérialiste et violent, et justifier l'aversion que laissent percer jusque dans leur admiration les spécialistes de l'art mésopotamien.

Et pourtant, dans les bas-reliefs assyriens, le spectacle de la violence, malgré toute l'importance qui lui est apparemment accordée, ne se maintient jamais dans une position privilégiée. Dans la section de la « Chasse au lion » reproduite ici (*planche* I), par exemple, nous sommes, semble-t-il, irrésistiblement attirés vers le point de violence maximale. Les mouvements conjugués du lion blessé, sur la gauche, et des deux chevaux nous contraignent à parcourir rapidement la scène de gauche à droite. Notre regard s'arrête à ce qui apparaît comme le centre dramatique du bas-relief : la lance du cavalier plongée dans la gueule ouverte du lion. Mais ce centre anecdotique est ambigu. Tout d'abord, le mouvement vers la droite se prolonge au-delà du point de contact entre l'animal et la lance du chasseur, diminuant ainsi l'impact du lion qui saute vers la gauche. Si l'on examine de plus près cette partie de la scène (*planche* II), il devient encore plus clair que la juxtaposition des mouvements opposés des deux animaux nous force à une lecture continuellement mobile de la scène plutôt qu'à une immobilisation du regard sur la gueule béante du lion blessé. En outre, les relations formelles à l'intérieur de la scène ont pour effet de distraire le spectateur de la brutalité du sujet : remarquez la série d'éléments parallèles juste sous la lance (série formée par les rênes, le harnais, la patte du lion, et celle du cheval), ainsi que la similarité des lignes brisées qui délimitent le contour de la patte du lion et la houppe attachée au harnais juste en dessous. De telles formalisations peuvent être conçues comme autant d'efforts pour réprimer les différences sur lesquelles repose une lecture narrative de la scène, et par conséquent comme une incitation à souligner ce que l'on pourrait désigner comme des organisations et des identifications anti-narratives. L'identité iconologique de la lance, par exemple, se trouve quelque peu remise en question par son inscription dans le triangle qu'elle forme avec la rêne en dessous, et la partie de la crinière du cheval qui rejoint la lance et la bride. Notre intérêt passe de l'anecdotique au géométrique au point précis où le centre anecdotique de la scène est à sa plus haute intensité.

Les sculpteurs assyriens se montrent exceptionnellement enclins à désaccentuer leur sujet par le jeu de différentes stratégies formelles. Ils nous invitent continuellement à glisser de la violence narrative à la « violence » de contacts multiples qui produisent une multiplicité de formes (*planche* III). En conséquence, la violence de l'histoire ne se voit jamais accorder le statut de mode disruptif privilégié. On peut même dire que la brutalité de la guerre et de la chasse est en quelque sorte banalisée par sa représentation artistique. Les grands tableaux

Planche I

Planche II

de l'histoire assyrienne contiennent toujours des indices qui, en dépit de leurs intentions les plus explicites, nous invitent à ne pas prendre au sérieux leurs prétentions historiques, des indices qui, en dispersant notre attention, nous empêchent de parvenir à une lecture stable de leurs images statiques. La sculpture assyrienne prend, au moment même où elle la célèbre, un certain recul par rapport à la gloire de l'histoire assyrienne. Dans cet art, le spectacle omniprésent de la violence historique pourrait servir de correctif à la fascination qu'exerce sur nous la violence dans l'histoire même. Si, comme je le soutiens ici, la sexualité est fondée sur le masochisme, nous sommes, presque depuis le début, ontologiquement impliqués dans la violence; notre choix n'est donc pas entre la violence et la non-violence, mais entre une fixation destructrice sur la violence anecdotique et les dislocations psychiques d'un désir constamment mobile. Les bas-reliefs des palais assyriens seraient, dans cette perspective, proches d'une certaine modernité – modernité qui ne s'est pas toujours définie par une opposition à la violence réelle de l'histoire récente, mais plutôt par le goût d'une violence qui ne serait plus catastrophique. Cette modernité est solidaire d'une esthétique qui a perdu le goût des catastrophes réalistes : la catastrophe, en effet, c'est ce qui se produit lorsque la violence s'arrête, lorsque les dislocations psychiques provoquées par la mobilité du désir cherchent à « avoir lieu », à reposer sur un objet, et, par là même, à le détruire.

Les bas-reliefs des palais assyriens suggèrent la compatibilité de la mobilité dont je parle avec un certain type de répétition. Leurs sculpteurs jouent, non sans risques, avec des répétitions qui semblent presque être des identités. Leur œuvre manifeste même une sorte de besoin compulsif de reproduire au moins deux fois le même objet ou la même activité. Mais même ce redoublement des images a pour effet de mobiliser la perception plutôt que de l'arrêter. Remarquez l'ordre apparent créé par la série de trois paires d'images dans la planche IV : les têtes de chasseurs, les pattes de lions, et les deux mains dans une position à peu près identique. Mais cet ordre se trouve également dérangé par certaines dissonances entre les éléments de chaque couple. Les pattes des animaux s'écartent l'une de l'autre, et celle du haut n'est pas parallèle à l'autre, mais à la queue drapée sur l'épaule de l'homme de gauche. Par ailleurs, avec quelle autre main celle de droite est-elle vraiment appa-

Planche III

Planche IV

riée? Elle est posée sur le corps du lion dans une position semblable à celle de la main verticale sur la gauche, et pourtant sa forme diagonale la fait apparaître comme un prolongement du bras qui s'avance vers elle depuis la partie inférieure gauche. Comme c'est fréquemment le cas dans ces bas-reliefs, la répétition produit chez le spectateur une impression déconcertante. On passe de A à sa répétition en A', mais celle-ci présente une différence qui nous incite à vérifier le modèle en retournant à A. La répétition dans la sculpture assyrienne rend problématique la répétition tout court. Elle semble imposer dans notre champ visuel tous les éléments d'un ordre rigoureux, alors qu'en fait elle provoque en nous l'irrésolution d'un mouvement de vérification entre les termes répétés. Les bas-reliefs des palais assyriens pourraient ainsi être proposés comme point de départ d'une esthétique de la répétition – d'une répétition qui ne serait pas définie comme l'association stable de deux termes identiques, mais au contraire – et ceci nous ramène aux efforts de Freud pour formuler, dans les *Trois Essais*, l'énigme presque inconcevable de l'excitation sexuelle – comme un mouvement d'arrêt, ou comme l'agitation d'une reproduction différentielle.

Considérons, comme dernier exemple de cet art néo-assyrien, la représentation d'un lion en train de sortir d'une cage (*planche* v). Il y a ici un puissant argument narratif : l'homme et le lion dirigent tous deux notre attention sur la gauche vers la scène d'une action à venir. Les cages fonctionnent comme des cadres immobilisateurs, et, en un sens, le mouvement narratif de cette scène est anti-esthétique. Tout se passe comme si la violence des tensions inhérentes à la scène représentée rendait impossible la représentation elle-même; nous sommes en présence de deux cadres de tableaux sur le point d'être abandonnés par leurs sujets.

Et pourtant, nous sommes aussi ramenés à l'intérieur du cadre – sans toutefois être forcés de substituer au mouvement narratif l'immobilité d'une image. Tout d'abord, en simples termes d'espace, les cages presque abandonnées occupent pratiquement toute la scène. Mais surtout, le mouvement du lion semble étrangement enrayé par une certaine confusion entre son corps et les barreaux de sa cage (*planche* vi); l'avant-dernier barreau, en particulier, apparaît comme une sorte d'extension de son corps. Le lion, pourrait-on dire, quitte

Planche V

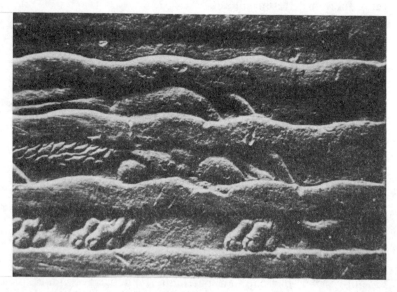

Planche VI

sa cage en y restant enfermé, et ceci, grâce à la manière bizarre dont il arrive presque à *devenir* sa cage. Mais, en même temps, le barreau à l'aspect léonin est, du seul fait de sa forme courbe, contaminé par son rapport avec la ligne droite qui délimite le haut de la cage, et il devient pour ainsi dire surdéterminé : il est simultanément perçu comme une ligne non figurative, comme le barreau d'une cage, et comme faisant partie du corps d'un animal. L'intérieur de la cage, qui était d'abord apparu comme un espace narratif (barreaux en premier plan, lion en mouvement à l'arrière-plan), s'est transformé en un espace esthétique continu déterminé par des relations formelles. Si le sujet de cette scène est, en un sens, sa dé-narrativisation, son pouvoir narratif reste pourtant redoutable. Les relations formelles, en effet, ne conduisent pas seulement à dénarrativiser la scène. Les diagonales qui relieraient la tête du lion à celle de l'homme, et la patte avant du lion au coin supérieur gauche de la petite cage, ont pour effet de concentrer notre attention sur les aspects narratifs les plus dramatiques (sur l'homme – ou l'enfant? – qui ouvre la cage et sur le lion qui en sort). Nous sommes en fait en présence d'une structure diagonale complexe. En plus des lignes déjà mentionnées, on pourrait également tracer, comme l'indique le schéma ci-joint (*planche* VII), les diagonales allant dans le sens opposé, du coin inférieur droit au coin supérieur gauche. Les éléments de cette seconde structure diagonale dirigent notre attention sur un espace sinon vide, du moins relativement dépourvu d'intérêt narratif (je pense à l'espace entre les coins supérieurs droit des deux cages, ainsi qu'à l'intérieur des deux cages où, comme je le suggérais il y a un instant, le sujet dramatique se trouve subordonné au jeu des répétitions et des relations formelles). Finalement, la plupart de ces diagonales passent à l'intérieur ou à proximité du quasi-rectangle à gauche de la cage de l'homme, faisant ainsi de ce petit espace vide un point de mire de la scène.

En conclusion, je proposerai de considérer comme emblématique le privilège accordé à cet espace vide. Ce quasi-rectangle est une cage qui n'emprisonne rien. C'est un point focal insignifiant qui a pour fonction de disperser notre attention plutôt que de la concentrer. Entouré, et même constitué par de puissants éléments narratifs (sa limite supérieure représente l'action principale de la scène : l'homme ouvrant la cage du lion), ce centre éminemment ambigu est en même temps

Planche VII

« traversé » par des diagonales virtuelles qui nous ramènent aux relations essentiellement formelles et aux identités flottantes des deux cages. Nous pourrions dire que sa position interprétative se situe entre des lectures très différentes de la scène. Le carré vide sert de médiateur entre deux modes d'attention : une vision narrative, qui organise les formes en une séquence historique, et une vision plus agitée et déstabilisatrice, qui substitue à l'identité statique et totalisante des formes narratives la mise en rapport toujours provisoire de fragments continuellement mobiles. Le plaisir esthétique que nous donne la mobilité de l'art assyrien pourrait être défini comme la traversée agitée des intervalles qui séparent à la fois des formes visuelles et des modes d'interprétation. L'art assyrien, comme l'écriture de Mallarmé, serait une leçon de sensualité interstitielle, analogue aussi, peut-être, au plaisir sexuel d'une hésitation entre la jouissance anti-narrative des intensités répétées et le plaisir du dénouement orgasmique. L'impression presque indéfinissable d' « entre-deux » que donnent les bas-reliefs assyriens et la suspension interprétative qu'ils provoquent entre des lectures narratives et non-narratives pourraient enfin être les signes d'une remarquable hésitation, ou même d'une sorte d'ignorance, de la part de leurs sculpteurs anonymes, à l'égard des formes de disruption et de violence qu'ils avaient choisi d'aimer.

CHAPITRE IV

Le nouveau monde freudien

— Quand vous aurez vécu aussi longtemps que moi, vous verrez que tout être humain possède sa coquille, et qu'il faut bien en tenir compte. Par coquille, j'entends toute l'enveloppe des circonstances. Un homme ou une femme isolés, cela n'existe pas; chacun de nous est une collection d'appendices. Qu'est-ce que nous appelons notre moi? Où commence-t-il, où finit-il? Il imprègne tout ce qui nous appartient, puis s'en retire. Je sais qu'une grande partie de moi-même tient dans les robes que je choisis. J'ai un grand respect pour les choses. Le moi, pour les autres, c'est son mode d'expression, et une maison, des meubles, des vêtements, les livres qu'on lit, les gens qu'on fréquente, tout cela exprime la personnalité.

On aura peut-être reconnu ce passage du *Portrait d'une dame* de Henry James : il est mis dans la bouche d'un personnage hautement européanisé, Mme Merle, qui s'adresse à l'héroïne du roman, la très américaine Isabel Archer. James qualifie ce petit discours de « très métaphysique », et Isabel, qui, comme nous l'apprenons, est précisément « férue de métaphysique », objecte vivement aux idées de son amie sur le rapport entre le moi et sa collection d'appendices.

— Je ne suis pas de votre avis, pas du tout. Je ne sais pas si j'arrive à m'exprimer moi-même, mais je suis certaine qu'aucun objet ne saurait le faire. Rien de ce qui m'appartient n'est à ma mesure; au contraire, tout est limite ou barrière parfaitement arbitraire. Non certainement : les robes que je choisis, comme vous dites, ne révèlent pas mon être, et j'en rends grâces au ciel.
— Vous vous habillez très bien, glissa doucement Mme Merle.
— C'est possible, mais il ne me plairait pas d'être mesurée à cette aune. Mes robes peuvent laisser deviner la couturière, et

pas moi. Pour commencer, ce n'est pas mon choix qui en est responsable, c'est la mode qui me les impose.
– Préféreriez-vous aller toute nue? demanda Mme Merle d'un ton qui mettait pratiquement un terme à l'entretien.

Ce charmant petit débat mérite peut-être de figurer dans la « généalogie du sujet dans les sociétés occidentales » proposée par Michel Foucault, puisqu'il tourne précisément autour d'un contraste entre deux technologies d'auto-définition et d'auto-expression. Si Mme Merle, maîtresse dans l'art de la conversation, l'emporte aisément, c'est en partie parce que, contrairement à Isabel, elle n'oublie jamais la nature stratégique de la parole. Alors qu'Isabel se concentre sur son sujet, Mme Merle est attentive à Isabel qu'elle écoute sans trop prêter attention à ses arguments. Mais la supériorité de Mme Merle tient surtout au fait que James ne peut pas s'empêcher de faire d'elle sa complice. En tant que romancier, il a pris parti pour la lisibilité des conduites humaines, lisibilité implicite dans l'idée que Mme Merle se fait du rapport entre l'apparence et l'être.

Le mythe de la lisibilité de l'être humain sert une stratégie politique fondamentale, et le zèle avec lequel la littérature comme une certaine psychanalyse ont contribué à renforcer ce mythe pourrait bien être le signe le plus sûr de leur compromission avec certains types d'ordres pour lesquels la mise en forme de l'humain est indissociable d'un projet de contrôle. C'est ainsi que la critique sociale si souvent louée chez les écrivains réalistes – critique qui chez Balzac et Dickens est en effet intense et systématique – est peut-être de moins de conséquences, sur le plan politique, que leurs conceptions implicites concernant la personnalité, car ces conceptions définissent et limitent le « champ » à l'intérieur duquel peut s'exercer la critique sociale. Le fait de croire à l'existence d'un *ordre* et d'une structure psychique réduit la portée de toute critique du *dés*ordre social. En fournissant à cette société ce que l'on pourrait appeler les cartes du moi, le romancier réaliste contribue à la rendre viable, alors même que par ailleurs il peut la critiquer violemment.

Il n'en est que plus surprenant de voir James répudier avec énergie la philosophie de Mme Merle – cette philosophie dont semble dépendre la lisibilité de sa propre fiction – et justifier des héroïnes impossibles tant au point de vue philosophique que romanesque. Quelle utilisation la fiction narrative pourrait-elle faire d'un moi sans carte? Le problème s'aggrave encore dans les derniers romans, en particulier *les Ailes de la colombe* et *la Coupe d'or*. En tant que personnage, Isabel Archer échappe moins à toute idée d'ordre que ne l'impliquerait sa conception du moi, mais Maggie Verver et, surtout, Milly Theale semblent avoir été créées pour illustrer la théorie avancée par Isabel dans sa discussion avec Mme Merle. Or, les risques qu'entraîne le choix de ce genre de personnages principaux sont considérables. L'effacement de Milly, par exemple, est si radical qu'elle en devient narrativement insignifiante; sa douceur risque de devenir fadeur et de ne plus laisser prise à ces frictions romanesques qui motivent à la fois les autres personnages et le récit dont elle est l'héroïne à peu près invisible. Un roman presque entièrement consacré à l'intérêt de telles frictions nous demande constamment de l'intérêt pour une figure qui en est totalement dépourvue.

Mais c'est surtout *la Coupe d'or* qui prend ce risque en des termes qui me semblent pouvoir être compris, psychanalytiquement, comme une manière radicale d'envisager le problème du moi et de ses relations au monde des objets. La première partie de *la Coupe d'or* s'achève au moment où la jeune héritière américaine, Maggie Verver, se rend compte que son mari, le prince italien Amerigo, la trompe avec Charlotte (encore une Américaine hautement européanisée comme Mme Merle – c'est-à-dire, pour James, intéressante et dangereuse) qui vient d'épouser le père de Maggie; la seconde partie du roman retrace les étapes du travail stratégique grâce auquel Maggie finira par regagner le prince et par exiler son richissime père, qui est un grand amateur d'art, ainsi que la pauvre Charlotte dans une horrible ville du midwest américain où ils ouvriront un musée et essaieront d'intéresser les indigènes à la culture. Ce qu'il y a d'étonnant dans la stratégie de Maggie, c'est qu'au lieu de rendre l'intrigue du roman plus animée – comme nous aurions pu nous y attendre –, elle aboutit essentiellement à conduire le roman vers un arrêt total. Maggie se contente d'adhérer, sans se permettre la moindre incartade en direction de la vérité, aux mensonges bienséants qu'on lui souffle autour d'elle, et de prétendre que tout va bien dans son mariage. Tandis que les autres personnages, littéralement, assurent la survie du roman en s'engageant constamment dans des joutes de pouvoir verbal, c'est à peine si Maggie se soucie d'ajuster ses positions aux rapports de forces qui changent avec chaque conversation. Elle continue simplement de dire aux autres ce qu'ils lui ont enjoint de croire. Et c'est cette répétition même d'une inattention presque machinale qui en arrive à paralyser progressivement les tactiques verbales et conduit le roman à sa fin, en réduisant tout le monde au silence et en forçant le prince, comme il l'admet au dernier paragraphe du roman, à ne plus « voir » que Maggie elle-même.

C'est dans cette stratégie à la limite de la débilité que doit être située l'*activité de la passion*, ou, si l'on veut, de la *sexualité*. Comme dans plusieurs autres romans de James, et contrairement à ce que disent la plupart des critiques, le désir sexuel occupe une position de premier plan dans *la Coupe d'or* : il y a, par exemple, entre Maggie et Amerigo une lutte sexuelle assez brutale (quand ce dernier essaie de profiter de l'ascendant sexuel qu'il exerce sur sa femme pour obtenir d'elle qu'elle le laisse libre dans ses rapports avec Charlotte), et il est clair aussi que son retour à Maggie, à la fin du roman, est motivé par une passion érotique d'une exceptionnelle impatience. Ce qui reste fort problématique, en revanche, c'est le rapport de cette sexualité avec le moi, et avec le roman. Dans la seconde partie de *la Coupe d'or*, Maggie devient illisible, et je pense que cette illisibilité est une conséquence directe d'une pression sexuelle à la fois insistante et silencieuse. Les autres personnages ne cessent de vouloir interpréter Maggie, mais en vain; elle s'est retirée du champ de la parole interprétative. Elle fascine son entourage (et Amerigo le premier), mais sa personnalité et sa signification s'épuisent dans cette fascination. Les autres en arrivent à la « comprendre » – mais aveuglément – du simple fait qu'ils ne peuvent cesser de la regarder; elle se trouve purifiée – et intensifiée – au point de ne plus être qu'une revendication impitoyable à l'égard des désirs des autres.

Il y a cependant une certaine ambiguïté dans la fonction sexuelle et sociale de Maggie, une ambiguïté analogue à l'hésitation de Freud, dans les *Trois Essais sur la théorie de la sexualité*, entre d'une part ce que j'ai appelé la perspective téléologique sur la sexualité, perspective dans laquelle la sexualité infantile ne fait que nous préparer à l'épanouissement post-œdipien de l'hétérosexualité génitale, et d'autre part une conception selon laquelle l'indéfinissable et douloureuse excitation de la sexualité infantile constitue la spécificité même du plaisir sexuel. Dans *la Coupe d'or*, le sexe est « recouvert » par les conventions et les obligations du mariage, et pourtant, comme je viens de le suggérer, il réussit à échapper à toute définition institutionnelle et à isoler Maggie, comme le remarque James, dans un « avant-poste » improvisé, dont la localisation sur une carte des relations sociales ne serait déterminée que par la géographie des « passions fondamentales ». En un sens, Maggie met en scène l'invasion du social par le sexuel; elle provoque, par sa répétition machinale d'une demande infinie, l'effondrement du langage interprétatif de la fiction elle-même. Et pourtant, cette répétition a-topique a en même temps pour fonction de replacer les autres personnages dans des positions fixes. Autrement dit, la deuxième partie de *la Coupe d'or* peut être lue de deux manières différentes : d'une part comme la critique, dont James lui-même serait l'auteur, de l'inadéquate érosion du texte social et romanesque par Charlotte et Amerigo (leur passion adultère n'est que trop facilement repérable « sur une carte des relations sociales »), et d'autre part comme la stratégie par laquelle Maggie parvient à maintenir les autres personnages dans une stricte observance des convenances et des institutions sociales. Dans le premier cas, les « erreurs » sexuelles d'Amerigo sont téléologiquement « rachetées » quand ses désirs trouvent à s'exprimer dans toute leur plénitude au sein de l' « enveloppe » des « circonstances » conjugales : dans l'autre, elles sont condamnées comme *trop* circonstancielles par rapport à la passion aveuglante qui ramène Amerigo à Maggie et du même coup achève le roman, rendant ainsi leur mariage comme institution insignifiant au moment même où elle semble le consacrer.

J'ai présenté jusqu'ici *la Coupe d'or* comme une allégorie psychologique – mais les confrontations allégoriques qui m'intéressent dans une telle lecture n'opposent pas des passions ou des facultés mentales particulières, bien plutôt deux différents types de psychologie. Une psychologie générale se trouve en quelque sorte confrontée à une psychologie psychanalytique, et la conséquence la plus révélatrice de cette confrontation est que le roman lui-même est rendu presque impossible. Déjouant tout projet de topologie sociale, une force marginale et sauvage vient s'imposer à un texte central hautement conscient et civilisé, et finit par le paralyser. C'est ainsi que, de manière assez inattendue, l'œuvre de James peut nous ramener à des questions qui ont eu une importance cruciale dans l'histoire de la psychanalyse : quel est le rapport entre la psychanalyse et la psychologie sociale la plus générale? Les découvertes de Freud ne concernent-elles que le marginal, le prétendu pathologique, ce qu'il y a de dysfonctionnel dans la vie humaine, ou bien valent-elles également pour les mécanismes favorables au développement et à l'adaptation de l'être humain? Ou encore, pour ramener ces questions à leurs termes les plus simples et les plus fondamentaux (termes qui, je le rappelle, étaient au cœur du débat entre Mme Merle et Isabel Archer), comment la psychanalyse conçoit-elle le rapport entre la constitution du moi et le monde des objets?

Tout au début, écrit Freud dans les pages extrêmement denses qui concluent « Pulsions et destins des pulsions », « l'extérieur, l'objet, le haï seraient... identiques. Au moment où, plus tard, l'objet se révèle être une source de plaisir, il est aimé, mais aussi incorporé au moi, de sorte que, pour le moi-plaisir purifié, l'objet coïncide à nouveau avec l'étranger et le haï ». Cette logique inexorable est la conséquence nécessaire d'un point de vue économique : si « la haine, en tant que relation à l'objet, est plus ancienne que l'amour », écrit Freud quelques pages plus loin, c'est parce qu'elle « provient du refus originaire que le moi narcissique oppose au monde extérieur, prodiguant les excitations [*er entspricht der uranfänglichen Ablehnung des reizspendenden Aussenwelt von seiten des narzisstischen Ichs*] ». Ainsi « les prototypes véritables de la relation de haine ne proviennent pas de la vie sexuelle [qui, elle, maintiendrait notre contact avec le monde des objets] mais de la lutte du moi pour sa conservation et son affirmation ». En conséquence de cette « relation intime » entre les pulsions d'auto-préservation et la haine, « les pulsions du moi et les pulsions sexuelles peuvent facilement en venir à une opposition qui répète celle de la haine et de l'amour ».

Mais ces oppositions sont solidaires d'un certain nombre de dualismes et de distinctions qui, en fait, ne cessent de s'effondrer. Tout d'abord, si les pulsions sexuelles assurent la continuité de notre intérêt pour les objets extérieurs, l'objet aimé est, comme Freud le remarque dans un des passages cités, « incorporé au moi [*dem Ich einverleibt*] » *parce qu'il* est aimé – si bien qu'idéalement on pourrait dire que le monde extérieur ne contient que des objets détestés ou détestables. Il semble donc que nous ayons maintenant deux types de destructions : une destruction non-érotique, fondée sur le besoin qu'a le moi de se protéger contre une stimulation excessive (et peut-être, en dernière instance, contre toute stimulation), et une destruction désirante, pour ainsi dire, au moyen de laquelle il deviendrait possible de posséder intérieurement les objets. Mais si l'on s'en tient au rapport de l'organisme et des objets, les pulsions du moi et les pulsions sexuelles ont un seul et même but : l'élimination de tout ce qui est extérieur à l'organisme. Qui plus est : la destruction de l'objet semble bien être inhérente à l'excitation sexuelle elle-même, du moins pendant les phases prégénitales de la sexualité infantile. Dans la phase orale, par exemple, c'est-à-dire la phase dans laquelle l'excitation sexuelle est produite par des fantasmes d'« incorporer et dévorer », l'amour « est compatible avec la suppression de l'existence de l'objet dans son individualité ». Et dans la phase qui correspond à l'organisation sadique-anale, « la tendance vers l'objet apparaît sous la forme d'une poussée à l'emprise... » et, bien qu'« endommager ou détruire l'objet n'entre pas en ligne de compte, ... cette forme, ce stade préliminaire, de l'amour peut à peine se distinguer de la haine dans son comportement vis-à-vis de l'objet ».

L'opposition entre pulsions du moi et pulsions sexuelles peut-elle survivre à cette définition de la sexualité ? Ce que nous pourrions appeler l'ontologie de la haine (ou de l'agressivité) recouvre exactement l'ontologie de la sexualité. D'ailleurs, si, comme Freud l'écrit dans les *Trois Essais*, « tous les processus affectifs ayant atteint un certain degré d'intensité, y compris le sentiment d'épouvante, retentissent sur la sexualité », il faut admettre que le « déplaisir » causé au sein du moi par un « afflux de stimuli » venu du monde extérieur doit, lui aussi, « retentir sur la sexualité », et, inversement, que la haine présumée ressentie par le moi à l'égard de tous ces stimuli douloureusement excitants est, elle aussi, un phénomène sexualisant. Autrement dit, dans le tableau excessivement complexe esquissé par « Pulsions et destins des pulsions », tout finit par être à la fois sexuel et agressif : aussi bien la sexualité orale et anale, que la « haine » que le moi porte à un monde stimulant à l'excès.

Or, ce que je n'ai pas cessé de suggérer en soulignant cette identité de la sexualité et de l'agressivité dans la spéculation freudienne, c'est qu'une telle identité bouleverse en leur fondement les catégories de toute psychologie générale. Si Freud insiste, dans *Malaise dans la civilisation*, sur l'« ubiquité d'une agression non-érotique », il doit pourtant reconnaître que la satisfaction des pulsions agressives « s'accompagne d'un plaisir narcissique extraordinairement prononcé, en tant qu'il montre au Moi ses vœux anciens de toute-puissance réalisés ». Or, dans le contexte de notre présente discussion, ce passage suggère un effondrement proprement vertigineux des ordres classificatoires. Si la haine d'un objet extérieur est, en vertu de son intensité même, un phénomène sexualisant, elle doit en toute rigueur être décrite comme une forme de *sadisme*. Si, en outre, cette haine en faisant s'effondrer les barrières entre le moi et le monde satisfait dans le moi « des vœux anciens de toute-puissance », elle doit alors également être considérée comme une forme de *narcissisme*. Et si, enfin, la sexualité est par définition un phénomène d'excès, un ébranlement psychique dû au déséquilibre entre le niveau de stimulation et les capacités de structuration du moi, alors la haine du moi à l'égard des objets extérieurs, son invasion par des stimuli venus de ces objets *et* son besoin d'incorporer les objets aimés peuvent aussi être identifiés au *masochisme*. Nous nous sommes peut-être habitués à concevoir le sadisme comme une projection du masochisme ; devons-nous maintenant concevoir le sado-masochisme comme une forme du narcissisme ?

Mon propos essentiel n'est pas de suggérer un nouvel arrangement des définitions.

Si j'ai été amené à proposer une certaine réorganisation des définitions freudiennes – notamment en suggérant qu'entre la sexualité, au moins par son mode de constitution, et le masochisme, on pourrait considérer qu'il y a tautologie –, c'est moins par souci d'exactitude référentielle et empirique, que pour indiquer la manière dont la spéculation freudienne tend à subvertir ses propres catégories. En soutenant, comme je l'ai fait à la suite d'une suggestion de Jean Laplanche, que d'un point de vue génétique, une composante prétendue aberrante de la sexualité – le masochisme – en constitue peut-être la totalité, nous provoquons une sorte de glissement tectonique qui affecte tout le système classificatoire de la psychanalyse, si ce système repose précisément sur la possibilité d'isoler des phénomènes tels que le masochisme, le sadisme et le fétichisme, en les réduisant à n'être que de simples composantes du phénomène plus général, intelligible, et hiérarchiquement organisé que serait la sexualité.

J'ai également pris le risque de situer dans ces glissements le processus même par lequel se constitue la « vérité » psychanalytique. Mon argument accorde une position privilégiée non seulement aux moments d'effondrement théorique dans certains textes de Freud, mais également à des positions qui n'apparaissent que comme la conséquence du blocage ou de la faillite d'un argument principal explicitement formulé. Ainsi la conception téléologique de la sexualité avancée dans les *Trois Essais* m'est apparue comme le refoulement d'un contre-argument, selon lequel la sexualité serait le phénomène historiquement non-viable d'une tension de plaisir-déplaisir. Bref, je n'ai pas simplement cherché à déconstruire l'argumentation de Freud, mais également à repérer ses arguments les plus originaux et les plus subversifs – c'est-à-dire à situer la spécificité et la valeur de la psychanalyse elle-même dans l'histoire de notre pensée. Dans le sens le plus général, la contribution de Freud à notre connaissance de l'humain réside dans la problématisation de l'acte même de connaître. Plus spécifiquement, et malgré ses affinités manifestes avec la biologie du dix-neuvième siècle, par exemple, ou encore – pour passer à un registre culturel plus général – avec l'histoire de la confession dans les sociétés occidentales modernes, l'œuvre de Freud est, me semble-t-il, une tentative sans précédent pour expliquer ce qu'il y a de radicalement inopérant pour la pensée humaine dans les termes d'un effet d'ébranlement inhérent à la sexualité. Freud subvertit la conception selon laquelle le plaisir serait fondamentalement social, en suggérant que même les formes de plaisir les plus sublimées sont ontologiquement fondées sur une jouissance à la fois solipsiste et masochiste : jouissance qui isole le sujet humain dans une répétition parfaitement « inutile » d'un point de vue social ou épistémologique, mais infiniment séduisante.

Nous n'avons peut-être rien fait de plus (ou de moins) que de déduire la « vérité » de telles notions à partir des effets de tensions textuelles qu'elles engendrent. Et en un sens, c'est peut-être précisément là le but de la théorie et de la pratique psychanalytiques : de détecter sous certaines formes de perturbations textuelles, la présence de projets absents. Il ne saurait y avoir de différences essentielles entre la dimension formelle de la psychanalise et sa valeur d'expérience, entre les opérations linguistiques de l'œuvre freudienne et sa vérité psychologique. *Car la vérité psychanalytique ne peut être analysée et vérifiée que sous la forme d'une détresse textuelle.* C'est pourquoi le passage d' une déconstruction formelle ou « littéraire » de certains arguments de Freud à des considérations sur la fonction évolutionniste de la sexualité masochiste, par exemple, ne constitue peut-être pas le saut épistémologique qu'il a d'abord pu paraître. De telles excursions par rapport au texte sont justifiées, me semble-t-il, non par le fait que « tout est texte » ni même parce que tous les phénomènes mentaux seraient de quelque manière organisées « comme » le langage, mais bien davantage parce que la vérité extra-textuelle d'un discours sur le fonctionnement de l'esprit est inévitablement déployée dans les opérations textuelles de ce discours. Si, comme je l'ai déjà suggéré, Freud démontre que la vérité d'une théorie du désir est inséparable d'une sorte de faillite opérationnelle dans l'élaboration de cette théorie, il s'ensuit que c'est dans les vicissitudes de l'élaboration théorique que nous trouvons la meilleure approximation d'un « savoir » sur des tensions qui, fondamentalement, se refusent à toute théorisation. Corrélativement – et pour la critique littéraire, il n'y a là rien de fortuit –, la psychanalyse nous apporte l'argument le plus décisif en faveur d'une mise en question de la distinction académique (particulièrement tranchée aux États-Unis) entre critique formelle ou textuelle et critique morale. Notre tentative de repérage de certains mouvements d'effondrement formel constitue à la fois un effort (sans doute impossible mais non moins nécessaire) pour accéder à un certain savoir sur les défaillances du savoir, et l'inévitable révélation de notre propre tolérance à l'égard de telles défaillances. Le choix d'une méthode critique est déjà en soi l'exercice d'une critique morale. Ce que je voudrais plutôt montrer, c'est que le processus de définition lui-même – processus qui aboutit non seulement aux dualismes freudiens,

LE NOUVEAU MONDE FREUDIEN

mais, de manière plus significative, à la structuration du moi en
Ça, Moi et Surmoi – a, dans la psychanalyse, la fonction d'une
sorte de manipulation stratégique de la vérité psychanalytique
même. Comment cela? Dans « Pulsions et destins des pulsions », Freud écrit : « Ce n'est qu'avec l'établissement de
l'organisation génitale que l'amour est devenu l'opposé de la
haine. » Ce qu'il veut dire n'est pas qu'avant l'hégémonie
du génital l'un est identique à l'autre, mais que le rapport
entre l'amour et la haine pendant les phases pré-génitales
ne peut pas *logiquement* être décrit comme une opposition.
L'un et l'autre se sont développés sur des voies psychique-
ment distinctes, « ont des origines différentes » (la haine
provient des tendances auto-défensives du moi, et l'amour
des pulsions sexuelles). Leur confluence peut alors être présentée non comme si elle était constitutive de la sexualité
elle-même, mais comme s'il s'agissait d'une sorte d'accident
historique dû aux particularités des phases préliminaires de
la sexualité orale et anale, accident qui, suggère Freud,
peut tout simplement *donner l'impression* que les deux
voies n'en font qu'une...

Or, ce que je voudrais ici souligner, c'est que l'opposition
amour-haine, que Freud présente comme un *fait* de l'organisation génitale, pourrait aussi être comprise comme une *caractéristique conceptuelle* de la génitalité. L'accession à la phase
génitale, dans la perspective freudienne, repose sur le refoulement de la sexualité infantile; et physiologiquement, la génitalité introduit un nouveau type de plaisir, le plaisir de la
décharge. Plus précisément, l'organisation génitale obéit à un
régime sexuel double : si le nouveau plaisir peut, dans une large
mesure, être défini comme un relâchement de la tension qui
caractérisait le plaisir pré-génital, il continue en partie à
dépendre du maintien et même d'une augmentation temporaire
du niveau de tension. Et tout se passe comme si, à l'intérieur de
la génitalité elle-même, le refoulement de la sexualité infantile
se trouvait rejoué par une version fantasmatique du rapport
entre les deux aspects de ce double régime, version dans
laquelle la différence est représentée comme une opposition.
Plus exactement, le refoulement de la sexualité infantile se
manifeste maintenant symptomatiquement par des habitudes de
pensée dualistes qui, tout à la fois, répètent et dissimulent le
fantasme d'un antagonisme entre deux régimes de plaisir sexuel.

De nouveau, nous nous retrouvons à l'une de ces intersections entre le fonctionnel et le dysfonctionnel qui semblent revenir si souvent sur la carte largement illisible de la sexualité humaine. J'ai déjà suggéré, par exemple, que le masochisme qui fonde la sexualité constitue à la fois une menace pour la vie et une adaptation évolutive qui protège la vie. De même, si, comme nous venons de le voir, nos premières relations avec les objets (y compris nos relations de désir) tendent à la destruction de ces objets, la sexualité infantile contribue aussi à nous initier au monde des relations sociales en faisant le pont entre le premier attachement auto-préservateur à la mère nourricière et les formes plus tardives d'un intérêt diversifié et désexualisé pour le monde. Nous sommes à présent en présence d'un troisième exemple de ce curieux va-et-vient entre les aspects fonctionnels et dysfonctionnels de la sexualité : le régime sexuel de la décharge sert la fonction reproductrice de l'espèce, mais, d'un point de vue ontogénétique, la « maturation » sexuelle semble dépendre d'un certain degré de refoulement de ce qui constitue le véritable « fondement » de la sexualité, ainsi que du refoulement des modes conceptuels qui nous permettent de donner une expression symbolique aux répétitions insistantes, masochistes, et pourtant productrices de l'excitation sexuelle. Un des signes de ce refoulement chez Freud lui-même pourrait bien être son incapacité à reconnaître la nature symptomatique de ses propres dualismes. Au moment précis où il situe historiquement dans la vie humaine l'apparition de l'opposition amour-haine, Freud manque en effet de s'interroger sur la signification de son propre geste, et en particulier sur ce qui en conditionne la position : c'est-à-dire sur les formes de refoulement qui nous permettent de conceptualiser dans l'amour le contraire de la haine. Un discours descriptif des phases de nos relations d'objet en arrive simultanément à définir la restriction qu'apporte aux mouvements de la conscience un régime sexuel particulier (le génital) *et* à prescrire cette restriction elle-même comme seule condition préalable d'une description des régimes sexuels et des processus mentaux radicalement autres.

Le Moi et le Ça est la plus importante tentative faite par Freud pour élaborer une théorie du Moi basée sur les premiers attachements passionnels du sujet humain au monde. Et pourtant, la théorie structurelle qui y est proposée constitue, me semble-t-il, un nouvel effort pour normaliser la psychanalyse. De même que la perspective téléologique sur la sexualité réprimait, dans les *Trois Essais,* une conception de la sexualité comme fondamentalement masochiste, de même que le dualisme des pulsions de vie et des pulsions de mort obscurcissait dans *Au-delà du principe de plaisir* la destructivité inhérente à la sexualité, de même les intentions structuralisantes propres à *le Moi et le Ça* transforment l'identité presque inconcevable entre la différence et la répétition, en une histoire narrative qui systématise les différences mentales.

La redéfinition freudienne du Moi en tant que système spécifique à l'intérieur de la personnalité a eu d'importantes conséquences dans l'histoire de la psychanalyse, en particulier avec le développement de la psychologie du moi aux États-Unis, et dans l'histoire des tentatives pour transformer la psychanalyse en une psychologie générale. Mais d'abord, qu'est-ce exactement que le Moi? Freud commence par le définir comme « une organisation cohérente des processus de l'âme »; le Moi, précise-t-il, « représente ce qu'on peut nommer raison et bon sens, par opposition au Ça qui a pour contenu les passions »; et finalement : « En vertu de sa relation au système perception, il établit l'ordonnancement temporel des processus psychiques et il soumet ceux-ci à l'épreuve de la réalité. » Seulement, l'aptitude du Moi à remplir de telles fonctions normalisatrices se trouve gravement mise en question quand Freud en vient à décrire son origine et ses rapports avec le Ça et le Surmoi. Car, originellement, le système appelé Moi se constitue comme une sorte de dépotoir affectif. Freud rappelle qu'il avait autrefois expliqué la mélancolie par l'hypothèse qu'un objet perdu « est ré-érigé dans le Moi – donc qu'un investissement d'objet est relayé par une identification [*eine Objektbesetzung durch eine Identifizierung abgelöst wird*] ». Mais au moment de « Deuil et mélancolie » (c'est-à-dire en 1915), ajoute-t-il, « nous ne reconnaissions pas encore toute la signification de ce processus et nous ne savions pas combien il est fréquent et typique ». Freud comprend maintenant que la substitution d'une identification à un investissement d'objet « a une part importante dans la formation du Moi et contribue essentiellement à produire ce qu'on nomme son " caractère " ».

101

A la page suivante, il va même jusqu'à suggérer que « le caractère du Moi résulte de la sédimentation des investissements d'objets abandonnés, qu'il contient l'histoire de ces choix d'objets ».

Quelle est la fonction de ces intériorisations? Dans « Deuil et mélancolie », il est question, comme dans la description de la formation du Moi proposée par *le Moi et le Ça,* d'investissements d'objets « perdus » ou « abandonnés ». L'intériorisation, dans ce cas, n'est pas un mode de désir (comme les fantasmes d'incorporation du stade oral), mais plutôt la stratégie d'un désir auquel on a renoncé. Les intériorisations du Moi sont l'assimilation d'une perte. Et elles ont pour fonction de tromper le Ça : « Quand le Moi adopte les traits de l'objet, il s'impose pour ainsi dire lui-même au Ça comme objet d'amour, il cherche à remplacer pour lui ce qu'il a perdu en disant : "Tu peux m'aimer moi aussi, vois comme je ressemble à l'objet". » Les identifications du Moi sont donc un simulacre des incorporations du Ça, et elles doivent être comprises comme des actes de séduction. D'où la contradiction apparente, dans la description que Freud en donne : ces identifications sont à la fois désexualisantes et narcissiques; si elles conduisent bien à « un abandon des buts sexuels », ce faisant, elles arrivent pour ainsi dire à détourner l'amour du Ça vers un objet désinvesti mais intériorisé, la désexualisation se trouvant ainsi compensée par une « transformation de la libido d'objet en une libido narcissique ».

Cette petite scène de tromperie sexuelle est un parfait exemple de la tendance à un anthropomorphisme qui, comme l'a noté le psychanalyste américain Merton Gill, amène à traiter chacun des systèmes de la théorie structurale comme un « homoncule réifié ». Mais plutôt que de comprendre la description freudienne de la relation entre le Moi et le Ça comme une naïve allégorisation de la réalité psychique, il faudrait remarquer que tout en élaborant son modèle d'un système mental tripartite, Freud nous rappelle à plus d'une reprise qu' « on ne doit pas non plus trop figer la distinction du Moi et du Ça ni oublier que le Moi est une partie du Ça qui a subi une différenciation particulière », de même que le Surmoi est « un niveau dans le Moi, ... une différenciation à l'intérieur du Moi [*eine Stufe im Ich... eine Differenzierung innerhalb des Ichs*] ». En bref, Freud semble décrire un type particulier de répétitions, répétitions que le texte va pour la plupart présenter comme constituant la formation d'un système de différences structurales. Ce que Freud appelle le Moi est une relation d'objet qui n'aurait plus d'objet, et strictement parlant, plus de relation, l'objet ayant été approprié après avoir été perdu. Le Moi est un collectionneur qui transporte des objets inertes de l'extérieur à l'intérieur. Le Moi ne désire pas le monde, il le vampirise.

Phénoménologiquement, une telle opération semblerait impliquer un mouvement réflexif de la conscience, une scission à l'intérieur de l'esprit, une distanciation négatrice de la conscience par rapport à ses propres mouvements; les identifications du Moi sont des répétitions immobilisatrices du désir. Les relations que le Moi entretient avec le monde extérieur sont donc, dès le début, extrêmement ambiguës. Dans le deuxième chapitre de *le Moi et le Ça,* Freud écrit que le Moi est « la partie du Ça qui a été modifiée sous l'influence directe du monde extérieur par l'intermédiaire du Pc-Cs, qu'il est en quelque sorte une continuation de la différenciation superficielle ». En outre, « le moi est avant tout un moi corporel, il n'est pas seulement un être de surface, mais il est lui-même la projection d'une surface »; c'est-à-dire que, dans la topographie mentale proposée par Freud, le Moi n'est pas seulement la partie de l'appareil psychique la plus directement affectée par les contacts du corps avec le monde; il est aussi une projection mentale des surfaces corporelles. Le Moi ne se contente pas d'enregistrer les perceptions et les sensations, mais il a aussi pour fonction d'inventorier et d'entreposer les processus perceptuels eux-mêmes. Il répète fantasmatiquement les contacts corporels avec le monde, dans quelque chose qu'il faut peut-être comprendre comme une structure métaperceptuelle. Le Moi n'est pas une surface, mais l'*imitation psychique d'une surface.* De même, la relation du Moi aux objets qui forment son caractère est une sorte de représentation de la relation du Ça avec le monde. Dans les deux cas – dans la dérivation du Moi par rapport au corps comme dans sa dérivation par rapport au Ça –, la relation au monde est pétrifiée : soit par une architecturalisation des mouvements du corps dans le monde, soit par une solidification des objets intériorisés et désinvestis.

Ce que Freud appelle le Surmoi apparaît d'abord comme une

répétition de la même opération. Comme le Moi, le Surmoi est créé par la substitution d'identifications à des investissements d'objets. Ce que Freud appelle avec une certaine hésitation « sa position particulière dans le Moi ou par rapport au Moi », il la doit à deux facteurs : premièrement, le Surmoi est la première identification qui se soit produite tant que le Moi était encore faible, et, deuxièmement, il est l'héritier du complexe d'Œdipe, c'est-à-dire qu'en tant que dépositaire des investissements œdipiens du Ça, il a « introduit dans le Moi les objets de la plus haute importance ». Le rapport entre ces deux facteurs ne manque d'ailleurs pas d'ambiguïté. Le Surmoi est-il, comme Freud le dira en effet dans l'essai de 1927 sur « Le mot d'esprit », le « noyau » du Moi (et la première de ses identifications), ou doit-on le considérer comme une sorte d'excroissance post-œdipienne du Moi? J'ai soutenu dans *Baudelaire et Freud* l'idée que « la nature persécutrice aussi bien que le caractère idéal du Surmoi post-œdipien ont leurs analogues dans le Moi constitué originellement ». Me référant à la conception lacanienne de la nature aliénée du Moi, je suggérais qu' « il est impossible de constituer un Moi total sans créer un Surmoi. Un Moi total, complet et unifié, est un Moi autre, un Moi idéal ». J'aimerais reprendre ici cette formulation dans le cadre de la théorie structurale, en suggérant que ce que Freud systématise dans la notion de Surmoi est un mouvement de la conscience qui amorce et perpétue dans une incessante répétition les identifications négatrices du Moi.

L'identification à un objet d'amour déjà perdu est essentiellement une idéalisation, et ce dans les deux sens du mot : en soustrayant l'objet du réel, elle le perpétue sous une forme à la fois désirable et inaccessible. Le désir fantasmatique pour un objet est répété dans le fantasme d'un Moi qui serait lui-même un objet de désir déjà perdu. D'un côté, le Moi est renforcé – et ses pulsions narcissiques sont satisfaites – par l'identification à un objet supérieur (c'est-à-dire aimé); de l'autre, la recherche active de l'objet est remplacée par un désir sans espoir, par une sorte de masturbation passive, ou plus exactement posthume. L'identification à un objet d'amour perdu est intrinsèquement une auto-punition : c'est par le blocage d'une pulsion désirante que le Moi se constitue comme objet d'amour. Le désir est né et coupé par le mouvement même qui intériorise l'objet du désir. Ou, plus exactement, au terme d'un processus de désexualisation particulièrement ambigu, un objet se trouve resexualisé (il est réinvesti par des pulsions narcissiques et masochistes) dans le mouvement même qui le désinvestit. Le plaisir narcissique de telles identifications est donc indissociable d'un plaisir masochiste, et en ce sens la substitution peut-être inévitable des identifications aux investissements d'objets doit être comprise comme un malfonctionnement du développement humain. En constituant la personnalité humaine à partir de pulsions inassouvies, ces intériorisations ont pour effet de prolonger les origines masochistes de la sexualité humaine, en en faisant une nécessité structurale pour un stade avancé du développement individuel.

Or, c'est au Surmoi que revient la tâche capitale – et particulièrement périlleuse – de conférer à ce processus une légitimation historique. « Le Surmoi, écrit Freud, n'est pas simplement un résidu des premiers choix d'objet du Ça, mais il a aussi la signification d'une formation réactionnelle énergique contre eux. » Du fait, poursuit-il, « que l'Idéal du Moi a fait tous ses efforts pour le refoulement du complexe d'Œdipe, ... sa relation au Moi ne s'épuise pas dans le précepte : tu *dois* être ainsi (comme le père), elle comprend aussi l'interdiction : tu n'*as pas le droit* d'être ainsi (comme le père), c'est-à-dire tu n'as pas le droit de faire tout ce qu'il fait; certaines choses [et on sait lesquelles] lui restent réservées ». L'impossibilité de cet impératif contradictoire : « tu dois être et tu n'as pas le droit d'être comme ton père », transcrit une énigme ontologique dans le langage d'une Loi divine. On ne peut pas obéir aux commandements du Surmoi; on ne peut même pas les formuler, si ce n'est dans l'inintelligible succession de deux injonctions mutuellement annulatrices. La fascination manifestée par notre civilisation, de Job à Kafka, à l'égard d'une Loi impénétrable qui se refuse à être obéie est peut-être, en termes psychanalytiques, la version déplacée d'une détresse proprement humaine : celle d'être habité, et même d'avoir été constitué, par les objets inaccessibles et inéluctables, étrangers et aliénants, de nos désirs. La mythologie du complexe d'Œdipe fait de cette impossibilité aussi monstrueuse qu'inévitable le but même du développement humain, comme si l'identification œdipienne constituait une manière de transcender l'agressivité plutôt que l'opération qui la rend permanente. Le Surmoi post-œdipien légalise l'agressivité pré-œdipienne; il transforme la perte d'un objet en l'interdiction d'un objet, nous rendant ainsi à jamais coupables de ces mouvements même de la conscience par lesquels des objets de désir deviennent des instances punitives.

Ce n'est pas tout : dans le septième chapitre de *Malaise dans la civilisation,* Freud proposera de concevoir le Surmoi non seulement comme l'intériorisation d'une autorité morale chargée de contrôler les pulsions érotiques et agressives du Moi, mais aussi comme un processus fantasmatique qui donnerait au Moi la liberté d'attaquer cette autorité morale. La répression de la véritable agressivité et l'instauration du Surmoi seraient ainsi la stratégie la plus efficace pour arriver à satisfaire sans limites les pulsions agressives. Dans cette perspective, l'excessive sévérité du Surmoi – ou, plus précisément, l'agressivité sans bornes qui caractérise son fonctionnement – ne sont pas des phénomènes susceptibles de contrôles éducatifs ou thérapeutiques, mais sa véritable *raison d'être.* Le « système » particulier que constitue le Surmoi n'est peut-être finalement qu'une forme de relation d'objet grâce à laquelle la destruction de l'objet peut être infiniment répétée dans l'assouvissement d'un plaisir masochiste.

On sait que Freud est devenu de plus en plus pessimiste sur la possibilité de contrôler cette destructivité, non seulement dans la civilisation, mais même dans l'analyse individuelle. Il n'en est que plus étonnant de constater que le Surmoi postœdipien – qui, comme je l'ai montré, transforme les origines masochistes de notre sexualité en un impératif moral et culturel – est présenté, dans *le Moi et le Ça,* comme un développement *extrêmement incertain.* Je pense ici à ces pages extraordinaires du troisième chapitre dans lesquelles, sur la base de ce qu'il vient de dire de la relation entre les investissements d'objets et les identifications dans la formation du Moi et du Surmoi, Freud en arrive presque à renverser toute la réflexion psychanalytique sur le complexe d'Œdipe. A propos du « contenu du complexe d'Œdipe simple » – c'est-à-dire « l'attitude ambivalente à l'égard du père et la tendance objectale uniquement tendre envers la mère » –, Freud note que, chez le garçon, « l'investissement objectal de la mère » doit être remplacé « soit par une identification à la mère, soit par un renforcement de l'identification au père ». « Notre usage, ajoute-t-il, est de considérer cette dernière issue comme la plus normale », et cela en dépit du fait que l'identification du garçon à son père et de la fille à sa mère « ne répondent pas à notre attente car elles n'introduisent pas dans le Moi l'objet abandonné... »

Comment comprendre cela? Nous pourrions être ici amenés, avec Jean Laplanche, à réviser la conception classique du rapport entre les configurations œdipiennes et les préférences sexuelles ultérieures. Car, si nous observons la règle selon laquelle nous nous identifions à des objets de désir abandonnés, nous devrions plutôt dire – et c'est l'argument principal de Laplanche – que c'est le complexe d'Œdipe prétendu positif qui chez le garçon conduit à l'homosexualité (il a intériorisé non seulement la mère œdipienne qu'il désire, mais également ses désirs à elle), tandis que le complexe d'Œdipe négatif (dans lequel l'amour du garçon pour son père était l'attachement dominant) conduit à un choix d'objet hétérosexuel, modelé, précisément, sur les désirs du père, désirs que l'homme hétérosexuel a incorporés de manière permanente en lui-même.

Freud ne va pas jusque-là, mais il en vient pourtant à suggérer que, en effet, ce n'est peut-être pas à son rival que l'enfant s'identifie au moment de l'Œdipe – ouvrant ainsi la possibilité d'une révision radicale de sa propre théorie; révision qu'il laissera inexploitée dans le reste de l'ouvrage, et de sa vie. Dans un paragraphe d'une extraordinaire audace spéculative, il en arrive à reléguer le but soi-disant normal du complexe d'Œdipe dans un statut strictement aléatoire. « On a en effet l'impression, écrit-il, que le complexe d'Œdipe simple n'est pas du tout le plus fréquent, mais qu'il correspond à une simplification ou à une schématisation, même si elle reste bien souvent justifiée dans la pratique. » Et, suggère-t-il, c'est la bisexualité qui complique cette schématisation trop simple. Du fait de la constitution bisexuelle de tout individu, chaque enfant vit le complexe d'Œdipe sous sa double forme, positive et négative, si bien que même s'il n'intériorise que son rival, il aura à la fin intériorisé les deux parents. Pour le petit garçon, le père désiré dans le complexe négatif aura, pour ainsi dire, déjà fait l'objet d'une identification en tant que père rival dans le complexe positif, à quoi il faudrait évidemment ajouter une possibilité supplémentaire, celle que Freud désigne de manière assez vague comme une certaine disposition sexuelle féminine et qui conduirait le garçon à s'identifier cette fois avec le père aimé, au lieu de la mère rivale du complexe négatif. Il ne faut alors pas s'étonner que Freud se plaigne du tour presque proustien que semble avoir pris sa pensée : « Cette intervention de la bisexualité rend bien difficile d'y voir clair dans les relations des choix d'objets et des identifications primitifs, et encore plus difficile de les décrire d'une façon compréhensible. Il se pourrait aussi », conclut-il – et on peut maintenant deviner tout ce qu'implique cette dernière spéculation – « que l'ambivalence constatée dans les rapports avec les parents doive être entièrement rattachée à la bisexualité et qu'elle ne se développe pas, comme je l'ai présenté plus haut, à partir de l'identification et en raison de l'attitude de rivalité [*es könnte auch sein, dass die im Elternverhältnis konstatierte Ambivalenz durchaus auf die Bisexualität zu beziehen wäre und nicht, wie ich es vorhin dargestellt, durch die Rivalitätseinstellung aus der Identifizierung entwickelt würde*]. »

Si c'est le cas, qu'advient-il de l'instance juridique du Surmoi post-œdipien? Remarquez que tout ceci ne change en rien ce que je proposais plus tôt sur le processus identificatoire lui-même (c'est-à-dire l'idée que le Moi s'élabore comme une métaphore structurale des désirs bloqués ou reniés); ce qui est par contre très sérieusement remis en question, c'est la *nécessité* du degré et du type d'agressivité projeté par le Surmoi freudien. En réalité, c'est la nature mortifère du Moi lui-même – son statut de cimetière des choix d'objet désinvestis – qui devient problématique, quand on suggère, comme Freud le fait dans le paragraphe que je viens de commenter, que les relations d'objet sont depuis le début (du fait de l'origine et de l'essence même de notre sexualité) spectaculairement instables. La profonde indétermination de nos désirs à l'égard de leurs objets rend nos relations désirantes avec le monde mobiles et expérimentales. Dans *l'Anti-Œdipe,* Deleuze et Guattari avaient demandé : « L'enregistrement du désir passe-t-il par les termes œdipiens? » En fait, même en passant par ces termes, le désir ne se stabilise pas. Les relations d'objet de la période œdipienne elle-même – et non plus seulement les excès traumatiques de l'amour maternel pré-œdipien – nous préparent au jeu de ces identifications fluctuantes et volatiles qui seules pourraient nous sauver de la malédiction d' « avoir un caractère »; et ce sont elles – il est du moins permis de le penser – qui ont fait de Léonard de Vinci un si mauvais candidat aux passions et aux jalousies pseudo-sérieuses et pseudo-stables du *complexe* d'Œdipe.

Le complexe d'Œdipe positif est l'interprétation paranoïde des relations intrinsèquement mobiles, instables, et même, comme le suggère Freud, inintelligibles que l'enfant entretient avec ses parents. Nos parents œdipiens sont une version fantasmatique de nos parents déjà intériorisés et déjà idéalisés. Le Surmoi post-œdipien est l'apogée d'un drame fantasmatique qui fixe les relations passionnées et passionnément changeantes de notre enfance dans la perspective linéaire de l'histoire œdipienne. En d'autres termes, nous pourrions dire que le *complexe d'Œdipe refoule l'inintelligibilité des relations œdipiennes*. Aussi l'idéalisation est-elle, comme l'écrit Freud dans « Sur le narcissisme », « le facteur le plus puissant qui favorise le refoulement », non seulement parce que « la formation d'un idéal accentue les exigences du Moi », mais aussi parce que la démarche auto-réflexive qui produit l'idéalisation est déjà une version antisexuelle du désir, une interprétation de l'ébranlement sexuel dans les termes d'un jugement qui est peut-être traumatique, mais du moins intelligible.

J'aimerais que cette étude soit considérée dans une double perspective : d'abord, comme le point de départ d'une nouvelle manière de concevoir, psychanalytiquement, les rapports entre le sexuel et l'esthétique (j'y reviendrai dans la Conclusion); et, plus généralement, comme un effort pour *re*situer Freud et la psychanalyse dans cette « généalogie du sujet dans les sociétés occidentales » qu'a entreprise Michel Foucault. Les partisans de la psychanalyse, comme ses détracteurs, ont souvent sous-estimé la nature problématique de cette situation. Si la psychanalyse était appelée à jouer un rôle radicalement innovateur dans une généalogie du sujet humain, ce ne serait pas parce qu'elle explique notre nature en termes de sexualité (en cela, elle ne fait que prendre sa place dans l'histoire des tentatives pour définir une « nature humaine »), mais davantage parce qu'elle définit le sexuel comme *cela même qui désoriente profondément tout effort de constitution d'un sujet humain*. En ce sens, le discours psychanalytique est depuis le début condamné à sa perte. Et pourtant, chaque fois que nous avons regardé de près une de ses œuvres, nous avons vu Freud *travailler à contre-courant* de la révolution du discours culturel institué par le texte psychanalytique. La théorie psychanalytique est l'interprétation répressive d'un texte psychanalytique érotisé : elle lit ce texte comme une théorie *sur* la sexualité. En d'autres termes, elle le dénie dans son aspect le plus révolutionnaire, qui est précisément d'être une spéculation sur sa propre illisibilité. Comme nous l'avons vu de manière particulièrement claire à propos de *Malaise dans la civilisation,* la théorie psychanalytique tend alors, bizarrement, à n'avoir d'autre aspiration que de moderniser la terminologie du discours philosophique traditionnel.

L'entreprise radicale de redéfinition de la psychologie amorcée par Freud consiste à circonscrire un champ non-herméneutique : celui de la sexualité. A l'intérieur de ce champ, le sujet humain est, de par sa constitution même, désorienté et incapable d'adaptation. Dès le début, cependant, le texte freudien comme la carrière médicale de Freud vont à l'encontre de cette redéfinition et cherchent à replacer la psychanalyse dans le champ interprétatif de cette psychologie générale à laquelle Hartmann et ses disciples américains réaffirmeront si fièrement leur appartenance. On connaît l'acharnement de Lacan – acharnement très justifié – contre cette tendance. La théorie soi-disant clinique narrativise le mode foncièrement anti-narratif sur lequel la psychanalyse conçoit la sexualité. Ainsi la psychanalyse se trouve-t-elle normalisée par un effacement du sexuel, par la substitution d'une *interprétation confiante et systématique* du désir à cette *spéculation bloquée mais productive* sur le plaisir où nous avons vu Freud « se perdre » dans les *Trois Essais sur la théorie de la sexualité.* De la conception téléologique des « phases » de la sexualité dans les *Trois Essais* à l'équation du plaisir et de la mort dans *Au-delà du principe de plaisir,* et, finalement, au désinvestissement et à la structuration de la conscience dans *le Moi et le Ça,* Freud lui-même poursuit inlassablement le projet d'une récupération du sexuel dans une histoire narrative et dans une structure psychique. En faisant de la psychanalyse une *histoire* du désir (plutôt qu'une illustration des répétitions mobiles du sexuel), il a jeté les bases formelles de ce qu'on pourrait appeler la téléologie rétrospective de la thérapeutique. Il a apporté les principes organisateurs et interprétatifs grâce auxquels un discours orphelin a pu se doter d'une généalogie.

La thérapeutique convertit en histoire les errances de la parole. Ses anecdotes – particulièrement sous la forme narrative du « cas clinique » – ressemblent à s'y tromper aux procédés narratifs qui, dans les propres textes de Freud, refoulent les défaillances de son argumentation, les « chutes » de son discours dans l'intensité répétitive d'une insignifiance psychanalytique. Les anecdotes pseudo-empiriques de la thérapie n'ont rien à voir avec la vérité spéculative. Car le signe le plus sûr de l'adhérence du texte freudien au sujet de la sexualité est l'effondrement de ses propres tentatives pour structurer le sexuel. La spécificité de la psychanalyse la condamne à une impuissance classificatoire, envers et contre le fait que l'histoire de la psychanalyse apparaisse dans une très large mesure comme la répudiation de cette impuissance. Le freudisme est une révolution discursive qui à son origine était étayée sur la médecine, mais avec laquelle la médecine s'est établie dans une relation parasitaire. Rien n'est en fait plus étranger au texte psychanalytique que la littérature de la psychanalyse médicale, et c'est pour cette raison qu'il m'a semblé plus approprié de juxtaposer Freud à des textes comme ceux de Mallarmé, James ou Pasolini que de le replacer dans des histoires de débats théoriques. Comme les œuvres d'art que j'ai ici commentées, le texte freudien donne l'exemple d'un pouvoir discursif qui, de manière subversive, démontre l'impossibilité de sa propre prétention à un maître savoir. Avec l'œuvre de Freud, c'est la philosophie – comme d'ailleurs toute autre forme de discours culturel « sérieux » – qui met à découvert les raisons de sa radicale frivolité.

L'institutionnalisation de la psychanalyse et la prise de conscience des immenses profits qu'elle pouvait tirer de la normalisation de son discours (ainsi que de cette capitulation théorique dont parlait Reich) feraient évidemment l'objet d'une autre « histoire » – que je ne vais pas raconter. En 1923, le prestige de la psychanalyse avait déjà créé un « nouveau monde freudien », un monde prêt à s'installer dans le confort structural de *le Moi et le Ça* pour stabiliser et domestiquer toujours davantage la vérité psychanalytique. Mais on aura peut-être compris ce « nouveau monde freudien » dans un sens plus précis – géographique celui-là –; et il y aurait sans doute une certaine logique à conclure cette étude par quelques remarques sur l'avènement de la psychologie du Moi américaine, ou par les vicissitudes de la théorie structurale aux États-Unis. Mais respectons plutôt la logique des juxtapositions qui caractérisent cette étude, et faisons un dernier retour à l'étrange domesticité de Mallarmé.

Mallarmé : poète des relations d'objet. D'*Igitur* aux sonnets du triptyque, son œuvre nous demande souvent de considérer la sorte d'attention qu'une personne solitaire accorde aux objets d'une pièce. Chez Mallarmé, il est fréquent que l'ontologie de la pensée soit entièrement représentée à travers le récit d'une perception. Le doute mallarméen quant à la présence des objets, loin d'être comme chez Descartes une démarche délibérée destinée à tester la réalité du Moi et du monde, est en soi le mouvement de sa croyance dans la réalité du monde. Après avoir plaidé pour une lecture antiréaliste de Freud, j'aimerais brièvement défendre le réalisme mallarméen.

« On aurait pu naître », suggère le troisième sonnet du triptyque, d' « une mandore/Au creux néant musicien » dans la lumière incertaine d'un jour imminent. La négativité dont se nourrit l'art est peut-être une négativité en suspens. La demi-lumière d'un jour naissant jette un doute fécond sur l'identité et sur la place des objets, et interrompt peut-être ainsi le mouvement de la conscience qui se serait approprié les objets en les abolissant. C'est comme si une identification annihilatrice aux objets du monde était ici amorcée et laissée en suspens. En refusant de suivre sa pensée jusque dans son refus du monde, Mallarmé nie son pouvoir négateur. Ou encore, en termes psychanalytiques, il dé-réalise ces objets intérieurs qui, dans la topologie freudienne, sont eux-mêmes des déréalisations d'objets extérieurs. Le triptyque représente, sur un mode ironique, l'ironie inhérente à la conscience, ou, pour reprendre les termes freudiens, il ironise sur les formations de substitution par lesquelles le Moi se représente ironiquement à lui-même comme le substitut moribond d'un monde perdu. Et, chez Mallarmé, comme chez Freud, la perte des objets – par conséquent, de notre sécurité quant à la manière dont le monde peut être lu – est fonction de notre désir pour les objets. Dans le triptyque, la suggestibilité sexuelle est coextensive à un ébranlement qui affecte à la fois la clarté des perceptions et la stabilité des repères sémantiques. Cet ébranlement donne naissance à des formes vagues et incertaines, ni présentes ni absentes, qui restent suspendues dans ce que le triptyque présente implicitement comme un espace esthétique exemplaire. Des formes incertaines, mais non pas abolies. Car si la logique ultime de la négativité de la pensée était explicite dans *Igitur*, ici, Mallarmé va plus loin – ce qui, bien sûr, revient également à dire qu'il refuse d'aller si loin. Il enveloppe la négativité d'une subtile ironie, et ce repli supplémentaire de la conscience a l'effet, aussi étrange que crucial, de réaffirmer la présence du monde. Et puisque, comme le suggère le triptyque, cette réaffirmation ne peut que stimuler une curiosité érotique, nous pourrions dire que le mode ironique sur lequel Mallarmé traite la négativité – de même que l'empressement avec lequel il fait montre, dans son art, d'un appétit toujours mobile pour un monde incertain mais indéniable – sont des signes particulièrement civilisés et éminemment sociables du désir humain.

Conclusion

Une esthétique du masochisme? Peu importe; je préfère, en concluant, renoncer au plaisir – pourtant non négligeable – de proposer une formule si irritante, pour chercher à définir le parti qu'une réflexion sur l'art pourrait tirer de mon exposé sur Freud. Revenons donc à une question soulevée au cours du deuxième chapitre : serait-il légitime de parler de l'esthétique comme d'une perpétuation et d'une élaboration des tensions sexuelles masochistes? Pour l'essentiel, j'ai cherché à répondre à cette question en proposant une série d'illustrations qui aura pu paraître quelque peu décousue : Beckett, Mallarmé, *Salò* de Pasolini, Henry James, la sculpture assyrienne... Sans chercher à réduire l'hétérogénéité de cette liste – ni même à éliminer de mes analyses certaines incohérences qui auront peut-être l'avantage de me permettre d'échapper à l'identification avec une « position critique » fixe –, j'aimerais maintenant prendre le risque d'articuler le passage d'une sexualité pré-linguistique à l'expression esthétique, passage qui était évidemment implicite dans chacune des références que j'ai faites à une œuvre d'art. Comment la conscience s'approprie-t-elle la sexualité dans l'art? Ou, en d'autres termes, comment pouvons-nous reconnaître, dans les formes les plus raffinées et les plus consciemment élaborées du discours civilisé, la trace d'un ébranlement pré-linguistique du sujet humain?

Le soutien explicite qu'apporte à mes lectures – celle de James ou de *Salò,* par exemple – l'œuvre de Freud lui-même est en réalité fort mince. Cela tient en partie à l'absence dans cette œuvre de toute discussion suivie de la sublimation, mais aussi au fait que chez Freud la réflexion sur la littérature et les arts plastiques fait porter l'accent ou bien sur leur nature compensatoire ou bien sur leur nature symptomatique. Non seulement les mécanismes de la sublimation semblent souvent indissociables de ceux du refoulement et de la formation de symptômes, mais l'œuvre d'art est souvent « traitée » – interprétée et, pourrait-on dire, guérie – comme si elle n'était guère plus qu'un symptôme culturalisé. Aussi, les quelques passages dans lesquels Freud fait explicitement – et radicalement – une distinction entre la sublimation et le refoulement m'ont-ils semblé d'un intérêt particulier. Dans un séminaire de 1964, Lacan avait fait remarquer que dans « Pulsions et destin des pulsions », la sublimation doit être comprise comme la satisfaction d'une pulsion sexuelle « sans refoulement ». Plus récemment, comme nous l'avons vu au cours de cette étude, Jean Laplanche s'est arrêté sur une remarque que Freud fait dans son essai sur *Léonard de Vinci,* remarque selon laquelle, dans la sublimation, une partie du désir sexuel échapperait à la « violente poussée de refoulement sexuel » qui met fin à la période d'investigation sexuelle infantile, et se transformerait « dès l'origine [*von Anfang an*] en curiosité intellectuelle ». Mais, ce qu'il y a de plus remarquable dans l'essai de Freud sur *Léonard de Vinci* – et il devrait maintenant être clair que c'est ce qui fait pour moi l'intérêt de la plupart des écrits de Freud –, c'est l'espèce de turbulence spéculative qui, dans ce cas, ne réussit pas à définir avec certitude le rapport entre la sublimation comme dissémination de l'énergie sexuelle et le détachement présumé des activités ainsi sublimées par rapport aux « complexes primitifs de l'investigation sexuelle infantile ». Freud voit en Léonard l'exemple d'une sublimation authentique, mais en même temps il n'est pas loin de considérer sa peinture comme une répétition relativement transparente de ces « complexes primitifs », répétition qui, dans le cadre du développement normatif exposé ici comme ailleurs dans l'œuvre de Freud, ne peut réellement être comprise que comme un comportement « névrotique », et qui apparaît par conséquent moins souhaitable que les sublimations d'un sujet à qui un développement œdipien satisfaisant aurait permis de « dépasser » les questions obsédantes, angoissées et même traumatiques de la phase pré-œdipienne.

Officiellement – si l'on peut dire –, Freud prend donc position pour ce qu'on pourrait définir comme un art de l'énonciation stable, art dont la meilleure illustration littéraire serait Goethe, qu'il cite fréquemment comme pour lui demander une sorte de confirmation versifiée de certains points de doctrine. Disons, pour résumer, qu'il y a dans l'art une sorte de complétude sereine qui serait la contrepartie esthétique des ambitions anthropologiques de *Malaise dans la civilisation,* du dualisme biologique d'*Au-delà du principe de plaisir* et de la tentative de réduction de la sexualité à un récit téléologique dans les *Trois Essais.* Je suggérerai (mais il est évident que cela demanderait plus ample développement), tout d'abord, que cet idéal d'expression esthétique et philosophique est sous la dépendance d'une inhibition post-œdipienne de l'indétermination sexuelle; ensuite, qu'il rend manifeste la paranoïa inhérente aux angoisses de castration sans lesquelles le désir œdipien ne serait jamais dépassé (paranoïa qui persiste dans le rapport du Moi au père œdipien intériorisé); et, finalement, que c'est précisément parce qu'elle se pose en méta-discours – par exemple, en un discours sur le désir, qui serait lui-même affranchi des dislocations inhérentes à son objet –, que cette forme d'expression sublime-sublimée est particulièrement vulnérable à une interprétation démystificatrice, à la sorte d'« analyse symptomale » à laquelle, comme nous l'avons vu, *Malaise dans la civilisation,* en particulier, se prête si bien. Ce discours de la transcendance n'est pas autre chose que le discours de la répression; il est donc lui-même l'objet par excellence de ces techniques analytiques qu'il élabore en toute confiance, dans l'intention de les appliquer ailleurs – à des formes de discours et de représentations qui seraient moins parfaitement désexualisées.

Et pourtant, dans le cas de Léonard de Vinci, il est évident que Freud est tenté de situer l'intérêt de la peinture dans le problème même qui aurait paralysé le développement de l'œuvre. L'absence d'un père pendant la petite enfance de l'artiste aurait entraîné l'absence d'une Loi salutairement inhibitrice pour mettre un terme aux investigations dirigées vers l'être maternel. En conséquence, Léonard est « condamné » à répéter ces identifications expérimentales et traumatisantes qui sont autant de tentatives pour reproduire en représentations les chocs érotisants de l'amour de sa mère, pour se situer, et pour la situer elle aussi, dans l'ébranlement de ces expériences de plaisir. Mais, dans le même temps, la conclusion vers laquelle tend, sans jamais l'exprimer, l'essai sur

Léonard de Vinci est que la sublimation, en tant qu'énergie sexuelle non-refoulée, dépend en fait de cette même « absence » du père, ou, plus exactement, d'un certain échec de la part du père : pendant la période œdipienne, celui-ci ne parvient pas à cristalliser en une instance prohibitrice; ce qui revient à dire que la sublimation dépend, sinon de la défaite, du moins de la subordination de la configuration œdipienne soi-disant dominante. D'où le jeu, constant dans l'œuvre de Léonard de Vinci, de relations indéterminées entre les identités également indéterminées de la mère et de l'enfant, ou de l'homme et de la femme. Dans cette étude ambivalente sur Vinci, où il en arrive à se plaindre de l'inaptitude de Léonard à mener à terme une investigation scientifique ou un projet artistique, Freud ne peut en même temps s'empêcher de suggérer qu'une certaine forme de répétition imparfaite, ou de reproduction manquée – celle des tentatives répétées pour identifier un sujet humain érotiquement traumatisant et traumatisé –, est en fait la source du pouvoir esthétique de Léonard de Vinci, et que, par conséquent, sa réussite artistique est servie (plutôt qu'inhibée) par une certaine *faillite de la représentation.*

J'ai parlé d'une semblable faillite de la représentation à propos de l'argument implicitement proposé par Mallarmé dans *l'Après-Midi d'un faune,* selon lequel les sublimations musicales du faune seraient des prolongements de ses désirs sexuels plutôt que des substituts répressifs ou des symptômes de ces désirs. Les efforts du faune pour répéter une rencontre sexuelle qui n'a peut-être jamais eu lieu ont le résultat surprenant et productif de dénier toute importance à cette rencontre. La musique du faune ne peut en aucune manière être conçue comme une formation de substitution, comme le symptôme déguisé de ses impulsions sensuelles. Au contraire : elle répète ces impulsions en leur donnant une plus grande visibilité, et cette visibilité est la conséquence de ce que j'ai présenté comme la réplique ironique du faune à ses propres velléités réalistes. Ainsi, l'inclusion d'une certaine ironie dans l'énergie sexuelle sublimée est-elle peut-être un élément crucial dans l'esthétisation de l'érotique. Dans l'art du faune, le désir est répété en tant que conscience du désir, conscience qui stabilise en partie l'ébranlement du fantasme érotique. *En d'autres termes, l'ironie fonctionne au sein de l'érotique comme un principe formalisateur* – mais avec une remarquable ambiguïté. Pour une théorie de la sublimation conçue, non comme « au-delà de », mais comme coexistensive à la sexualité, l'esthétique ne serait pas une réalisation formelle, mais bien davantage l'activité perpétuellement mise en péril par laquelle une conscience érotisée est provisoirement structurée par la perception de *relations* entre les éléments qui la constituent.

Dans cette perspective, loin de chercher des désirs et des angoisses dissimulés « derrière » le texte, une critique psychanalytique se proposerait comme la lecture la plus résolument *superficielle* du texte. Elle retracerait la disparition et la réapparition constantes de relations et de formes. Il ne serait pas question pour elle d'identifier des désirs, car l'œuvre d'art elle-même n'existe pas pour cacher des désirs, mais *pour les rendre visibles.* Si le sexuel est, au niveau le plus primitif, la tentative de reproduire le plaisir d'un ébranlement (d'un traumatisme psychique), l'art – et je crois que c'est ce que propose tout à fait explicitement *l'Après-Midi d'un faune* – est la tentative de reproduire cette reproduction. C'est-à-dire qu'il répète le mouvement reproductif de la sexualité, dans le projet domesticateur et civilisateur d'une auto-reconnaissance. L'art est donc la transmutation du sexuel en une auto-réflexion ironique. Il interprète le sexuel en le répétant dans des formes perceptibles, et ce que nous appelons la critique interprète l'art en répétant ses projets formalisateurs dans la reconnaissance ironique de leur évanescente visibilité. L'interprétation critique serait donc une étape supplémentaire dans ce mouvement d'auto-reflexivité, aggravée, si l'on peut dire, par un surcroît d'ironie dans la répétition. Or, il est curieux que dans ce processus de reproduction, la forme d'ironie la plus abstraite, la plus raffinée et la plus aggravée : la critique, soit aussi, en un sens, la plus proche du biologique. Car, si nous pouvons dire que la formalisation de l'art représente une transmutation non-répressive du sexuel en culturel, l'auto-réflexivité critique (qui, devrais-je évidemment ajouter, existe aussi dans l'art lui-même, mes distinctions n'étant pas d'ordre générique, mais jouant entre différents niveaux d'auto-réflexivité) devrait constamment rester consciente de la nature problématique du projet formalisateur lui-même. Plus précisément, une critique à orientation psychanalytique devrait non seulement répéter ces mouvements identificatoires du désir qui sont déjà présents dans l'art, mais devrait également articuler les effets de « dé-formation » ou de « dé-formulation » du désir à l'intérieur de ces identifications mêmes. Loin de nommer des désirs qui seraient masqués par des sublimations culturelles, la critique est ce moment d'auto-reflexivité qui repère dans l'art les *effacements de la forme* : ou encore, de manière plus radicale, la critique rend manifeste l'ontologie du désir humain en dépistant dans l'œuvre d'art ce qui menace sa visibilité.

Dans cette perspective, le texte de spéculation psychanalytique – et en particulier l'œuvre de Freud – pourrait être considéré comme le *texte artistique critique* de notre époque. J'entends bien sûr le mot critique à la fois dans le sens auto-réflexif que je viens de proposer, et dans celui d'un événement crucial dans l'histoire de la textualité. C'est peut-être à ce deuxième sens du mot que pense Laplanche quand il parle de la psychanalyse non seulement comme d'une théorie des sublimations culturelles, mais également comme d'un nouveau moment, d'un nouveau *mouvement* dans l'histoire des formes mêmes de la sublimation. Il est clair que j'ai traité le texte freudien comme s'il s'agissait d'une œuvre d'art. Je ne veux pas dire pour autant que Freud est « plus intéressant comme écrivain » que comme théoricien plus ou moins scientifique du désir, ni qu'il « appartient » à l'histoire de la littérature. La psychanalyse ne s'inscrit dans aucune tradition littéraire, et il n'est pas non plus dans mon intention d'accorder à l'art une quelconque priorité sur la psychanalyse. Il n'est pas plus justifié d'appliquer au texte psychanalytique les techniques éprouvées de l'analyse littéraire que d'infliger au texte littéraire un diagnostic psychanalytique (et peu importe que ce diagnostic renvoie, mettons, à l'analité, à une homosexualité refoulée, ou à des conflits œdipiens, ou, dans une analyse moins grossière, aux caractéristiques formelles du processus primaire). L'œuvre de Freud est, en fait, un texte esthétique d'une espèce particulière : elle cherche à stabiliser les perturbations de la sexualité par une *théorie* qui rendrait compte des effets subversifs et déstabilisateurs de la sexualité sur le besoin humain de formes stables. En conséquence, il n'y a aucun « moment » de cette œuvre où la reproduction formelle du sexuel ne soit pas *déjà* en train de réfléchir (sur) l'effondrement des relations formelles, et (sur) la précarité du discours représentatif lui-même.

Mais, comme nous l'avons vu, il y a à l'intérieur de cette représentation théorique des tensions considérables. D'une part, nous avons ce qui m'apparaît comme un discours répressif, et que j'ai désigné comme le versant narrativisant des spéculations sur le désir humain et l'antagonisme qui l'oppose à la civilisation. C'est de ce côté que je situerais la théorie d'un développement sexuel normatif et téléologique élaborée dans les *Trois Essais,* la réduction du plaisir à une stase proche de la mort et la domestication de la sexualité par assimilation au pouvoir intégrateur d'Éros d'*Au-delà du principe de plaisir,* les distinctions topographiques de *le Moi et le Ça,* et la centralité du complexe d'Œdipe. Non que je considère ces aspects de la pensée de Freud comme des représentations « erronées » du désir, mais plutôt comme une fidèle réflexion théorique du mouvement répressif qui, dans le développement humain, cherche à effacer de l'histoire du désir l'ontologie de la sexualité. C'est précisément à ce mouvement que correspond ce que j'ai appelé plus haut l'art de la complétude post-œdipienne. Dans des termes culturels plus généraux, c'est à la même répression des fondements masochistes, non-narratifs et perpétuellement répétitifs du sexuel, que correspond également le conflit entre le bonheur individuel et la civilisation dans *Malaise dans la civilisation,* opposition qui doit être comprise comme un retour du refoulé, comme la réapparition déguisée d'un masochisme primordial dans une fable anthropologique sur la nature conflictuelle et destructive de toute confrontation entre les exigences du désir et celles de l'histoire. Et pourtant, nous avons également reconnu, dans les mêmes textes, la trace d'autres courants représentationnels, courants qu'il est extrêmement difficile de définir, mais qui peuvent être situés, par exemple, dans l'effet subversif qu'ont sur le texte de *Malaise dans la civilisation* les notes ajoutées en bas de page, ou encore dans la manière dont la téléologie promue par Freud dans les *Trois Essais* se trouve en même temps sapée par une spéculation bloquée et répétitive sur la nature masochiste du plaisir sexuel. Dans ces deux cas, une espèce de réflexion sur la sexualité, à la fois fragile et tautologique, vient subvertir une théorisation sur le désir humain dans laquelle le sexuel a déjà été domestiqué et transformé en un récit historique sur l'individu et la civilisation.

Finalement, comme ces deux exemples le suggèrent, les modèles conflictuels, qui, chez Freud, représentent textuellement la sexualité, peuvent également être lus comme des modèles interprétatifs conflictuels de l'effondrement de la représentation elle-même. C'est-à-dire que chacun de ces modèles propose implicitement une démarche critique homologue à la manière dont nous parlons de l'art. D'un côté, le freudisme peut être conçu comme la justification et la promotion d'une tradition critique que l'on pourrait appeler dérivative – c'est-à-dire d'une critique qui cherche à interpréter l'art comme l'effet ou le précipité de pressions biographiques ou historiques, de contraintes liées aux « genres », ou encore, dans le cas de la tradition critique instiguée par Freud lui-même, de désirs longtemps ensevelis. Dans cette perspective, les théories psychologiques de Freud sont l'aboutissement d'une tradition philosophique qui remonte à Platon, tradition dans laquelle le phénomène visible est dévalué au profit de la Vérité cachée, profonde ou essentielle, dont il n'est que le reflet. Dans la thérapie psychanalytique, la version la plus extrême de cette tradition est probablement l'attitude de Melanie Klein à l'égard des jeux d'enfants en analyse : la thérapeute coupe court à l'activité de l'enfant pour l'interpréter aussitôt qu'elle a vu la « vérité » qui se cachait derrière le jeu. Dans tous ces cas, l'effondrement de la représentation n'est évidemment qu'un pseudo-effondrement : à un discours factice, on a simplement substitué un discours plus authentique, et toute perte d'intelligibilité textuelle est largement compensée par l'intelligibilité supérieure qu'assure l'appropriation herméneutique du texte.

Mais, d'un autre côté, j'ai également essayé de suggérer que Freud propose un modèle interprétatif d'une espèce très différente – moins explicite, sans doute, que le modèle plus familier que je viens d'esquisser, mais c'est peut-être parce qu'il représente une tentative de dire ce que l'on pourrait appeler le retour à ce qui ne peut être dit. Rien n'est plus étrange (plus *unheimlich*) que ces passages dans lesquels , au moment même où il tente d'expliquer l'irruption d'une violence inconsciente dans la vie humaine, Freud en arrive à une textualité inintelligible, à l'impossibilité de poursuivre un argument soudain bloqué, et que l'on pourrait presque dire angoissé. Nous avons reconnu de tels moments dans l'incapacité où il se trouve de conclure sur la nature du plaisir dans les *Trois Essais,* dans l'oscillation de ses définitions de l'agressivité du Surmoi au chapitre sept de *Malaise dans la civilisation,* et dans l'extraordinaire démarche textuelle par laquelle il en arrive un moment à sacrifier, dans le troisième chapitre de *le Moi et le Ça,* la vertu explicative du complexe d'Œdipe lui-même. Pour une critique à orientation psychanalytique, de tels passages peuvent servir à attirer l'attention sur ce que j'ai appelé, en parlant de Henry James, l'invasion d'une psychologie générale par une psychologie psychanalytique, et sur la coercition d'un texte « central » par une force marginale souvent incontrôlable et féroce.

Cette invasion ne saurait pourtant être réduite au schéma trop simpliste d'une confrontation entre l'intelligible et l'inintelligible. Comme on l'a vu pour les bas-reliefs assyriens, elle peut prendre la forme d'une subversion de la séquence narrative par une sorte de formalisme désordonné et imprévisible. Et ce formalisme peut être, paradoxalement, l'analogue culturel – mais dans ce cas il faudrait peut-être parler de pastiche – de cet ébranlement psychique irreprésentable qui, même quand il est provoqué par des « chocs » intersubjectifs, plonge pourtant le sujet humain dans l'irrémédiable isolement d'une jouissance masochiste. Les raffinements formels de l'art assyrien nous « rappellent » cette jouissance, et, ce faisant, ils ont pour effet de nous distraire de la violence *historique* – qui est peut-être, comme j'en ai émis l'hypothèse, le symptôme le plus catastrophique de notre refus de reconnaître la violence sur laquelle notre sexualité est fondée. Les Assyriens nous contraignent *élégamment* à cette reconnaissance, en substituant à la violence de la narrativité la « violence » d'une multiplicité de contacts formels constamment en changement. Ainsi, quoique totalement dépourvu de ce que nous avons appris à reconnaître comme un « contenu sexuel », cet art remarquable nous apprend à lire l'illisibilité du sexuel en rendant excessivement visible la subversion par lui de la lisibilité narrative... Si la critique psychanalytique nous apprend à repérer des blocages textuels et des faillites de la représentation, elle peut aussi se constituer en une démarche auto-réflexive, qui repère dans une intensification de la visibilité formelle la menace imminente (bien que perpétuellement différée) d'un effrondrement formel, c'est-à-dire la présence de ce non-représentable que Freud appelle *Trieb.*

Le texte freudien reproduit l'insistante répétition de la sexualité humaine dans le processus même par lequel est à la fois constituée et éludée la théorie de cette répétition. Nous devrions maintenant être en mesure de reconnaître que l'argument de Freud sur la non-viabilité culturelle du sexuel n'est rien d'autre que la conséquence d'un refoulement par le texte de la nature du sexuel. Je ne veux évidemment pas dire que cette non-viabilité – l'antagonisme de la civilisation et de la sexualité – est uniquement un phénomène textuel, mais plutôt que l'œuvre de Freud récapitule textuellement les processus de refoulement, de violence symptomatique et de sublimation ascétique, qui condamnent la sexualité à resurgir dans l'histoire humaine sous la forme d'une violence meurtrière. En revanche, la domestication de notre sexualité dépend peut-être, ainsi que je l'ai suggéré, de la reprise, par la culture, de sa nature masochiste. Dans la vie humaine, la relation irréductiblement dysfonctionnelle entre plaisir et adaptation ne peut être « corrigée », paradoxalement, que par une réflexion ironique de (et sur) ce dysfonctionnement même. Ce n'est que par ce processus de reprise ironique – de reproduction productivement manquée – que la violence de notre sexualité masochiste peut être modulée en un produit, ou plutôt en un processus culturel. La symbolisation culturelle ne serait alors rien de plus mystérieux que le *travail* de ce processus de reproduction. Dans la mesure où elles ignorent le message répressif de *Malaise dans la civilisation,* les activités culturelles sont libres, ou plus exactement sont forcées de disséminer les chocs insistants de notre sexualité dans la mystérieuse singularité de répétitions érotisées.

Peut-être pouvons-nous maintenant voir, au terme de notre propre itinéraire, une extraordinaire justesse dans l'incapacité de Freud à développer une théorie de la sublimation. Car cette théorie n'est sans doute nécessaire que dans la mesure où le passage du sexuel au culturel doit être conçu sur le mode d'un refoulement ou d'une substitution. Si, au contraire, nous insistons sur les possibilités productives d'une continuité entre la sexualité et la civilisation (continuité que Freud a voulu nier au fur et à mesure qu'il adoptait une vue de plus en plus solennelle sur le rôle de ses propres spéculations anthropologiques dans un récit de l'histoire humaine), alors une théorie psychanalytique de la culture est, en un sens, superflue. Aussi bien ne chercherons-nous pas à cacher le soulagement avec lequel nous avons trouvé chez Freud lui-même (mais bien malgré lui) des raisons convaincantes pour ne voir dans nos propres réflexions sur la sublimation rien de plus – et rien de moins – que le jeu d'une conscience résolument attachée aux plaisirs toujours ambigus de ses propres vibrations.

Table

COMPOSITION : FIRMIN-DIDOT AU MESNIL (EURE)
IMPRESSION : HÉRISSEY À ÉVREUX
DÉPÔT LÉGAL : SEPTEMBRE 1984. N° 6930 (35038)